허 지 웅 《필름2.0》과 《프리미어》, 《GQ》에서 기자로 일했다. 에세이 『버티는 삶에 관하여』, 『나의 친애하는 적』, 소설 『개포동 김갑수씨의 사정』, 60~80년대 <공연의 기억>을 썼다.

살고 싶다는   농담

살고 싶다는

농담

허지웅 에세이

웅진 지식하우스

자전거를 처음 두 바퀴로 타게 되었을 때의 감각을 기억하
시나요. 처음에는 누구나 그렇듯이 네발자전거로 시작했습
니다. 양쪽에 보조바퀴가 달려 있습니다. 보조바퀴의 나사
는 조금씩 느슨해집니다. 왼쪽이든 오른쪽이든 한쪽이 먼저
느슨해져서 자전거를 10분 타면 적어도 30초 정도는 나도
모르게 두 발로 타게 됩니다. 그러다 어느 날 문득 보조바퀴
하나가 완전히 들려 있는 걸 발견한 후에야 어, 내가 혹시
자전거 천잰가. 자신이 붙습니다.

마침내 돌아오는 일요일 오전. 두근거리는 마음으로 보조바
퀴를 모두 빼버리고 밖으로 나섭니다. 보조바퀴 없이 출발

하는 건 처음이라 떨립니다. 뒤에서 붙잡고 있을 테니 걱정 말라는 아버지 말이 들려옵니다. 달릴 준비가 되었다고 생각했을 때 나는 이미 달리고 있었고 비틀거리는 듯싶지만 더 이상 중심을 잡는 게 어렵지 않습니다.

내 힘으로 온전히 서서 달리고 있었던 그 최초의 감각을 떠올려봅시다. 도움을 받는다는 것과 마침내 혼자 중심을 잡는다는 것. 삶에서 가장 중요한 두 가지를 우리는 그렇게 오래전에 배웠습니다. 그리고 평생에 걸쳐, 반복합니다.

자전거에서 굴러 떨어진, 그래서 다시 시작해야 하는데 보조바퀴를 파는 곳을 찾을 수 없고 뒤에서 잡아줄 아버지가 없고 왼쪽으로 오른쪽으로 휘청거리다 이제는 자전거를 탄다는 일 자체가 지긋지긋하다며 전부 다 그만두겠다고 머리를 쥐어뜯고 있는, 절망과 분투하기를 포기한 모든 이들에게 이 책을 바칩니다.

어머니 사랑합니다.

차례

Part 1.   **망하려면 아직 멀었다**

Part 1.   망하려면 아직 멀었다

우리의 삶은 남들만큼 비범하고,

남들의 삶은 우리만큼 초라하다.

망하려면

아직 멀었다

망했는데. 세 번째 항암 치료를 하고 나흘째 되는 날 밤 나는 그렇게 생각했다. 손이 부어서 물건을 집을 수 없고 손발 끝에선 더 이상 감각이 느껴지지 않았다. 거울 속엔 다른 사람이 있었고 하루 종일 구역질을 하다가 화장실로 가는 길은 너무 높고 가팔랐다. 살기 위해 반드시 먹어야 한다는 알약 스물여덟 알을 억지로 삼키다 보면 웃음이 나왔다. 나는 이제 내가 정말 살고 싶은지도 잘 모르겠다. 오늘 밤은 제발 덜 아프기를 닥치는 대로 아무에게나 빌며, 침대에 누우면 천장이 조금씩 내려앉았다. 나는 천장이 끝까지 내려와 내가 완전히 사라지는 상상을 했다. 그러면 기뻤다. 아픈 걸 참지 말고 그냥 입원을 할까. 하지만 그러고 싶지 않았다. 병동에서는, 옆자리에서 사람이 죽어간다. 사람의 죽음에는 드라마가 없다. 더디고 부잡스럽고 무미건조하다.

가장 어둡고 깊었던 그 밤을 버티고 몇 개월이 지났다. 놀랍게도 아프기 전보다 훨씬 건강하다. 얼마 전 그런 생각을 했다. 가장 힘들었던 그날 밤을 버티지 못했다면 나는 지금 어디에 있을까. 나는 왜 가족에게, 친구들에게 옆에 있어달라고 말하지 못했나. 말했다면 그 밤이 그렇게까지 깊고 위태로웠을까. 나는 언제나 뭐든 혼자 힘으로 고아처럼 살아남아 버텼다는 것에 자부심을 느껴왔다. 그러나 나는 동시에 누구에게도 도와달라는 말을 할 수 없는 멍청이가 되고 말았다. 그런 인간은 도무지 아무짝에도 쓸데가 없는 것이다. 그런 인간은 오래 버틸 수 없다. 오래 버티지 못한다면, 삶으로 증명해내고 싶은 것이 있어도 증명해낼 수 없다. 나는 행복이 뭔지 모른다. 하지만 적어도 매대 위에 보기 좋게 진열해놓은 근사한 사진과 말잔치가 행복이 아니라는 것 정도는 안다. 아마 행복이라는 건 삶을 통해 스스로에게 증명해나가는 어떤 것일 테다. 망했는데, 라고 생각하고 있을 오늘 밤의 아이들에게 도움을 청할 줄 아는 사람다운 사람의 모습으로 말해주고 싶다. 망하려면 아직 멀었다.

아마 행복이라는 건
삶을 통해 스스로에게
증명해나가는
어떤 것일 테다.

우리에게 필요한 건 결론이 아니라

결심이다

혈액종양내과 병동 무균실에 입원했다. 항암 합병증으로 인한 고열이었다. 입원할 때만 해도 앞으로 한 달 이상, 그러니까 병동에서 생일과 크리스마스와 새해를 모두 보내고도 한참 있다가 겨우 퇴원할 수 있으리라고는 생각지도 못했다. 항암 치료는 이미 시작한 후였다. 앞으로 닥쳐올 항암 부작용이 두렵다기보다 궁금한 때였다. 병동에서 나는 이런 호기로운 글을 SNS 계정에 올렸다.

"악성림프종 진단을 받았습니다. 혈액암의 종류라고 합니다. 부기와 무기력증이 생긴 지 좀 되었는데 미처 큰 병의 징조라고는 생각하지 못했습니다. 확진까지 이르는 요 몇 주 동안 생각이 많았습니다. 그나마 다행인 건 미리 약속된 일정들을 모두 책임지고 마무리할 수 있었다는 점입니다. 마지막 촬영까지 마쳤습니다. 마음이 편해요. 지난주부터 항암 치료를 시작했습니다. 『버티는 삶에 관하여』에서 말씀 드렸듯이 저는 '함께 버티어나가자'라는 말을 참 좋아합니다. 삶이란 버티어내는 것 외에는 도무지 다른 방도가 없기 때문입니다. 그렇다면 우리 모두 마음속에 끝까지 지키고 싶은 문장 하나씩을 담고, 함께 버티어 끝까지 살아냅시다. 이길게요. 고맙습니다."

'이길게요'의 마지막 모음이 동그랗게 말린 입술 끝에서 아직 완전히 사라지기 전에, 나는 벌써 침상 위에서 방금 분명히 잠들었던 것 같은 고양이마냥 펄떡거리고 있었다. 아팠다. 모르핀도 소용이 없었다. 나는 속으로 비명을 질렀다. 질게요! 질게요! 질게요! 질게요! 질게요! 어찌 됐든 내가 얼마나 아팠는지에 관한 이야기 따위를 하려는 건 아니다.

무균실에서 일반 병동으로 옮긴 이후 많은 사람을 보았다. 비참했다. 살 수 있을 것 같은 사람은 단 한 명도 없었다. 하루의 절반 동안 주사를 맞고 있어야 했다. 시퍼렇게 된 양쪽 팔에 더 이상 주사를 맞을 혈관을 찾을 수 없어서 발목과 사타구니를 헤집기 시작했을 때 나는 처음으로 '이렇게 살아서 뭐 하나'라는 생각을 했다.

그 와중에 유독 내 신경을 긁는 환자가 있었다. 60대 아저씨였다. 입원하던 첫날만 하더라도 저 아저씨가 어디가 아픈 건가 싶을 정도로 시끄러웠다. 쾌활함과 불쾌함의 경계라는 게 있다면 그걸 애써 설명하려 드는 것보다 이 아저씨를 5분동안 지켜보는 편이 빠를 것이다. 나는 그를 '3호실의 무솔리니'라고 불렀다.

무솔리니는 한파가 절정에 이른 새벽에도 자기가 더우면 병실의 보일러 전원을 내렸다. 약을 숨기고 내주지 않는다며 간호사에게 욕을 하고 소리를 질렀다. 바닥에 침을 뱉기 일쑤고 식사 시간에 방귀를 뀌었다. 무솔리니가 가래를 모으느라 목을 긁으면 그걸 언제 어디에 뱉으려나 숨을 죽이고 눈을 감았다. 무솔리니는 그걸 바닥에 뱉거나 종종 그냥 삼켰다. 둘 다 싫었다. 무솔리니만 문제가 아니었다. 병실은 도처가 죽음이었다. 내 상태가 좋아질 리 없었다. 이제 겨우 첫번째 항암이 끝났을 뿐인데, 이걸 다섯 번 더 해야 한다는 생각을 하면 아침에 깨고 싶지 않았다. 스트레스 때문에 생긴 병인데 방송 판이 층간 소음이고 악플러가 동네 양아치라면 이 병실은 노르망디 해변이었다.

새해를 넘긴 어느 날 아침, 밤새 꽂고 있었던 링거 팩을 교체하기 위해 간호사 한 분이 찾아왔다. 링거 팩을 교체하고 아침에 먹을 약을 건네주었다. 약을 받아 드니 냉소적인 미소가 입 밖으로 삐죽 튀어나왔다. 먹으나 마나 아픈 건 똑같은데, 이걸 왜 먹어야 하는지. 그런데 간호사가 자리를 뜨지 않고 망설이고 있었다. 그러더니 웬 꾸러미 하나를 내밀었다. 고맙다고 말하고 넙죽 받았다. 간호사는 빠르게 사라졌다. 꾸러미 안에는 검은 털모자 하나가 들어 있었다. 나는 꾸러미를 사물함 안에 밀어 넣었다. 그리고 침상에 다시 털썩 누웠다. 무솔리니가 다시 한번 파쇼 가래침을 뱉기 위해 목을 긁기 시작하길래 나는 얼른 돌아누웠다.

처음에는 선물이라고 생각하지 못했다. 항암을 하면서 머리카락이 빠진 환자들에게 주는 일종의 환자복 같은 건가 싶었다. 그러나 이내 그게 말이 안 된다는 걸 깨닫고 '아 선물이구나' 하고 생각했다. 그러거나 말거나 내 머릿속은 온통 죽음이라는 결론으로 가득했다. 털모자라니. 빠른 죽음이냐 느린 죽음이냐를 따지고 있는데, 머리카락 한 올 남지 않은 머리를 가리고 말고는 고심할 만한 문제가 아니었던 것이다. 세상에 털모자라니.

내가 얼마나 큰 실수를 저질렀는지 깨달은 건 정말 많은 시간이 흐른 뒤였다. 세 번째 항암 치료가 끝난 이후 집에서 통원하던 나는 항암 부작용의 종합선물세트와 같은 상태로 완전히 바닥을 찍었다. 밥을 먹으면 목구멍과 싸웠고 샤워를 하면 물과 싸웠으며 침대에 누우면 천장과 싸워야 했다. 처음부터 가족을 포함해 아무도 찾아오지 못하도록 조치해 두었기 때문에 외로움도 시비를 걸어왔다. 그리고 마침내 지금은 '그 밤'이라고 부르는 날을 맞았다. 가장 위험했던 밤이었다. 임사 체험이라도 한 게 아닌가 싶을 정도로 그 밤은 가파르고 신비했다. 그 밤에 관해서는 언젠가 다시 이야기할 기회가 있을 것이다.

그 밤을 지나 보내고 나서 나는 살아야겠다는 야심을 품었다. 아닌 게 아니라 처음에는 확실히 야심처럼 보였다. 하루하루 지날수록 야심은 희망이 되고, 희망은 동기가 되었다. 그러고 나서야 정말 우연히 나는 그 털모자를 떠올렸다.

털모자를 생각하면 어김없이 창피하다. 나는 왜 제때에 제대로 고맙다는 말을 하지 않았는가. 요는 그렇다. 그리고 그 때문에 여전히 괴롭다. 그 간호사의 이름도 얼굴도 기억하지 못하기 때문이다. 물론 꾸러미를 받아 들면서 고맙다고 말했다. 하지만 그건 제때에 제대로 된 고마움이라 부를 만한 것이 아니었다. 그저 여태 살아오면서 스스로 자부했던 것처럼 다른 건 몰라도 먼저 인사하고 인사할 때는 확실하게 한다는 익숙한 원칙을 반복한 것뿐이었다. 그 털모자를 준비한 마음이 얼마나 드물고 귀한 것인지에 관해 나는 조금도 고려하지 않았던 것이다. 그저 죽음이라는 결론에만 몰두해 있었을 뿐이다. 그리고 그런 거대한 결론 앞에 다른 것들은 한없이 사소한 소음으로 전락하고 만다.

우리에게 필요한 건 결론이 아니라 결심이다. 이 말을 소리

내어 중얼거리기 시작한 게 그즈음이었을 것이다. 언젠가 끄적거려놓고서 이 말의 더 나은 쓰임을 찾을 기회가 있을 것 같아 아껴둔 문장이었다. 이걸 새삼 떠올린 건 내가 쓴 말이 너무 근사해서가 아니다. 스스로 전혀 이해하지 못하면서 그저 떠벌린 말에 지나지 않았다는 게 증명되었기 때문이다.

결론에 사로잡혀 있으면 정말 중요한 것들이 사소해진다. 결론에 매달려 있으면 속과 결이 복잡한 현실을 억지로 단순하게 조작해서 자기 결론에 끼워 맞추게 된다. 세상은 원래 이러저러하다는 거창한 결론에 심취하면 전혀 그와 관계없는 상황들을 마음대로 조각내어 이러저러한 결론에 오려 붙인 뒤, 보아라 세상은 이렇게 이러저러하다는 선언에 이르게 되는 것이다. 이와 같은 생각은 정작 소중한 것들을 하찮게 보게 만든다. 이와 같은 생각은 삶을 망친다.

거창한 결론이 삶을 망친다면 사소한 결심들은 동기가 된다. 그리고 그런 사소한 결심들을 잘 지켜내어 성과가 쌓이면 삶을 꾸려나가는 중요한 아이디어가 될 수도 있다. 사실 결론에 집착하는 건 가장 피폐하고 곤궁하고 끔찍한 상황에 처한 사람들의 가장 훌륭한 안식처다. 나도 거기 있었기 때문에 확실하게 말할 수 있다. 죽음에만 몰두하고 있을 때는 다른 사소한 것들을 신경 쓰지 않아도 되었기 때문이다. 하지만 그렇게 다른 사소한 것들을 신경 쓰지 않고 있는 동안, 나는 죽음 이외에 다른 건 아무것도 생각할 수 없는 사람이 되고 말았다.

그래서 나는, 여러분에게 제발 거기 가지 말라고 말하고 싶다. 이 글을 그래서 쓰기 시작했다. 우리에게 필요한 건 결론이 아니라 결심이다. 내가 언제까지 살 수 있을지는 모른다. 백 살 넘게 살지도 모르고, 재발한다면 내년에 다시 병동에 있을지도 모르겠다. 하지만 지금은 어느 때보다 건강하고 의욕이 넘친다. 그리고 많은 결심들을 한다. 나는 제때에 제대로 고맙다고 말하며 살겠다고 결심했다. 여러분도 그랬으면 좋겠다.

'함께 버티어나가자'라는 말을 좋아한다.
삶이란 버티어내는 것 외에는
도무지 다른 방도가 없기 때문이다.

다시

시작한다는 것

왜 그렇게 열심히 해요? 사라 코너가 물었다. 사라 코너는 우리 요가 선생님이다. 속으로 그렇게 부른다. 동작을 제대로 따라 하지 못하면 〈터미네이터〉 시리즈의 사라 코너처럼 한 손으로 레밍턴을 장전하고 다른 손으로 뼈를 부러뜨릴 것 같기 때문이다. 나는 잠시 멍해졌다. 대답이 준비되어 있지 않았다. "반에서 제일 못하는데 성실하기라도 해야죠"라고 얼버무렸다. "너무 애를 쓰는 것도 좋지 않습니다. 즐기면서 해야지 오래 할 수 있어요." 나는 고개를 끄덕였다. 요가를 할 때 내 표정을 스스로 본 적이 없지만, 아무래도 앞에서 보면 가관인 모양이다. 베헤리트의 알 같을 거다. 며칠이 지나도 질문이 머리를 떠나지 않았다. 나는 왜 요가를 열심히 하는 걸까.

아닌 게 아니라 열심히 하고 있는 건 사실이다. 아무리 덜떨어져도 성실하게만 하면 중간은 갈 거라고 생각했다. 지금 생각으로는 중간만큼만 할 수 있다면 영혼이라도 팔겠다.

뭐든지 중간만큼 하는 게 가장 어려운 법이다. 한동안은 하루도 빼먹지 않고 수련했다. 지금도 일 때문에 시간을 타협할 수 없는 하루 정도를 제외하면 일주일이 요가를 중심으로 돌아간다. 그렇게 4개월째다. 그러거나 말거나 여전한 요린이다.

다치기도 많이 다쳤다. 무릎과 발등이 까지고 고관절에 붙어 있는 근육에 매번 무리가 와 절룩거렸다. 아쉬탕가가 아무리 전투 요가라지만, 발가락이 벗겨지고 피가 나서 밴드를 감고 감다가 미라 같은 몰골로 엎드려 땀을 뚝뚝 흘리고 있으면 이러다가 병원에 돌아가는 게 아닌가 겁이 났다. 그러면 한 주 내내 슬럼프다. 상처가 벌어질까 봐 동작이 엉망이고 기분도 우울하다. 앞 동작까지 제대로 했는데 다치는 게 무서워서 다음 동작을 대충 뭉개는 순간 사라 코너와 눈이 마주치면 마음이 참담하다. 무엇보다 모멸감이 든다. 성실하지 않은 사람이 된 것 같다. 왜 세계는 우리가 실수할 때만 주목하는가. 그래도 상처가 좀 나으면 그다음 한 주는 꽤 괜찮다. 전에는 흉내도 내지 못했던 동작을 하나씩 잘하게 된다. 안 되던 동작을 하나 완성하면 그날은 세상이 아름답다.

평생 직장에서 집에서 글을 쓰고 살아왔다. 그와 같은 패턴으로 20년 가까이 살았으면서도 관절이 자유자재로 꺾이는 분들에게는 죄송한 말씀이지만, 나는 숙명과도 같은 일자 허리와 거북목을 가지게 되었다. 허벅지의 뒤쪽 근육인 햄스트링이 마지막으로 길게 늘어나 있었던 먼 옛날 나는 유단자였다. 그러나 지금은 너무 짧아져서 햄스트링도 단증도 모두 잃어버린 기분이다. 도무지 일자로 펴지지를 않는다. 이십 대 때는 선임병들이 배수로로 끌고 가서 양쪽 다리를 잡고 찢었다. 지금 그렇게 하면 몸이 양쪽으로 찢어질 거다.

운동을 쉰 적은 한 번도 없다. 하지만 늘 무게와 다투는 운동만 했다. 집안 내력 같은 거다. 다들 웨이트 트레이닝에 관심이 많다. 병과 싸우기 직전까지도 벤치프레스, 데드리프트, 스쿼트 무게를 합한 3대 평점은 언제나 준수했다(스코어를 따지는 운동이 아닌 웨이트 트레이닝에서 3대 몇 킬로그램을 들 수 있느냐를 겨루는 건 자존심과 긍지의 문제다). 항암 치료 도중 고열로 무균실에 갇혔던 것도 집에서 혼자 덤벨을 들다가 긁혀서 다쳤기 때문이었다. 치료가 끝나자마자 달려간 곳도 헬스장이었다. 그런 내가 세상 마지막 날까지 결코 하지 않을 운동이 단 하나 있다면, 그건 요가였다.

아무래도 요가는 너무, 뭐랄까, 지나치게 정적으로 보였다. 여자만의 전유물처럼 보였다. 문 앞에 개와 남자는 출입 금지라고 쓰여 있을 것 같았다. 무엇보다 유연해야 할 수 있는 운동이었다. 유연하지 않은 몸으로 40년 넘게 살아가는 사람의 삶이란 '유연하지 않아도 사는 데 아무런 문제가 없다'는 끊임없는 자기 확신을 기반으로 기능하기 마련이다. 유연하지 않아도 사는 데 아무런 문제가 없는데 내가 왜 요가를 하나. 병이 다 나으면 하고 싶은 게 많았는데 아마 산티아고 순례길을 열 번 걷고 나면 요가를 했을까. 잘 모르겠다.

요가란 내게 의도하지 않은 사건이었다. 처음에는 아는 형이 같이 가자고 지겹게 졸라대서 구경이나 해볼까 싶어 따라갔다. 거기 아는 동생까지 붙어 엉겁결에 셋이 함께 등록했다. 뭐가 무슨 수업인지도 모르고 그냥 아무거나 선택했다. 그 아무거나가 아쉬탕가였다. 힘들어봤자 다리나 조금 찢고 말겠지. 그리고 그날 나는 내가 지난 몇 년간 흘린 걸 합친 것보다 훨씬 더 많은 땀을 한 시간 만에 줄줄 쏟아내고는 발뒤꿈치까지 탈탈 털려서 침대 위에 고꾸라졌다. 자는 내내 세상이 탈수기처럼 돌아갔다. 얼마 지나지 않아 형과 동생은 사라졌다. 나만 남았다. 누군가가 믿을 만하고 성실한 사람인가 확인해보려면 같이 요가를 해라.

다른 요가는 경험을 해보지 않아 모르겠지만, 일단 아쉬탕가는 전혀 정적이지 않았다. 전투 요가라는 말도 지금에야 웃으면서 할 수 있는 이야기지 처음에는 다들 미친 것 같았다. 여자만의 전유물도 아니었다. 그래도 열 명 중에 한 명 정도는 남자였다. 사실 마돈나의 할리우드 요가가 유행하기 전까지 요가가 여자만 하는 운동이라는 선입견은 존재하지 않았다. 부처님도 아직 싯다르타였던 시절, 깨달음에 이르는 방법을 바꾸기 위해 집단을 떠나기 전까지는 배와 등가 죽이 붙어 있는 요가 수행자였다.

아쉬탕가는 요가 중에서도 유서가 깊고 체계가 과학적이다. 그래서 엄격하다. 땀 닦느라 동작에 집중을 못 했더니 사라 코너가 발로 내 손에 들려 있던 수건을 낚아채 바닥에 내동 댕이쳤다. 오 신이시여. 다른 선생님들 말씀으로는 우리 사라 코너가 아쉬탕가 선생님 중에 비교적 온화한 편이라고 한다. 다른 선생님들은 발로 아랫배라도 걷어차는 모양이 다. 아무튼 우리 선생님 이 글을 보신다면 사랑합니다.

처음 한 달은 오기로 버텼다. 자존심이 팔 할이었던 것 같다. 다른 두 명도 그만뒀는데 나까지 사라지면 얼마나 꼴사나울 지 상상만 해도 끔찍했다. 수업 시간도 일반인 클래스가 아 닌 요가 선생님들이 수행하는 시간으로 옮겼다. 잘하는 사 람들 주변에 있으면 눈곱만큼이라도 더 잘할 수 있겠지 싶 었다.

하지만 자존심으로만 버티기에 아쉬탕가는 너무 큰 고난이었다. 계기가 된 건 역시나 되지 않는 동작이 되면서부터였다. 성실하게 하면 반드시 된다. 웨이트 트레이닝과 같다. 몸은 거짓말을 하지 않는다. 근육이 많이 개입되는 동작은 이제 대부분 자신이 붙었다. 허리를 숙이고 다리를 펴고 골반을 여는 동작들은 여전히 안 된다. 도무지 발전이 없다. 하지만 지난 몇 개월간 그랬듯이, 성실하고 꾸준하게 하면 반드시 될 거라고 생각한다.

앞서도 말했지만 성실하지 않다는 건 내게 가장 큰 불명예다. 아무리 덜떨어져도 인사 잘하고 성실하면 중간은 간다. 정작 어릴 때 들었을 때는 중요하지 않다고 생각했다가 삶을 통해 신뢰하게 된 명제다. 대개 인사성과 성실함은 관료적이고 수직적인 사회에서나 빛을 발하는 덕목으로 평가받는다. 하지만 그건 가장 끔찍한 오해들 가운데 하나다. 가진 것이 없을 때 저 두 가지는 가장 믿을 만한 칼과 방패가 된다. 타인을 가늠하는 데도, 나를 무장하는 데도 좋은 요령이다.

살면서 성실하게 노력한 만큼 공정하게 돌려받은 경험이라고는 몸을 쓰는 일밖에 없었다. 그 외에는 노력한 것보다 결과가 훨씬 더 좋거나 나빴다. 이와 같은 경험을 축적해서 쌓아나가는 일은 중요하다. 이기는 경험을 쌓으면 패배해도 주저앉아 비관하지 않고 다시 한번, 이라고 말할 수 있다.

형편이 좋은 집에서 태어난 청년들은 이기는 경험을 쌓는 일이 비교적 수월하다. 스스로 형편이 불리하다고 생각한다면 다른 무엇보다 몸을 이기는 경험을 쌓아나가자. 출발선이 다르고 상황이 여의치 않으니 몸을 이기는 경험을 대신 쌓는 것이다. 이기는 경험을 쌓는다는 건 언제 힘을 주고 뺐는지, 언제 숨을 들이쉬고 내쉬었는지 근육의 쓰임과 호흡의 감각을 기억해내는 것과 같다. 지는 것에만 익숙해지면 뭐가 진짜 이기는 거고 지는 건지조차 구분이 어려워진다. 되는 놈만 늘 되는 이유가 그런 것이다. 이겨본 사람만이 다시 이길 수 있고, 지더라도 다시 시작할 수 있다. 요컨대 끝까지 버틸 수 있는 몸을 만들자는 것이다.

불과 얼마 전까지만 해도 청년이었을 때를 생각하면 '지금의 나라면 그렇게 안 할 텐데 바보같이'라는 마음이 앞섰다. 마흔두 살의 나는 점점 '그때의 나라면 지금 이렇게 안 할 텐데 바보같이'라는 생각을 자주 하게 된다. 나이 든다는 것은 과거의 나에게 패배하는 일이 잦아지는 것과 같다.

서른 살 이후로 태어나서 한 번도 해보지 않았던 걸 시도해본 기억이 없다. 대개 그렇다. 음악도 들었던 것만 듣고 운동도 했던 것만 하며 사람도 만나던 사람만 만난다. 내가 잘할 수 있는 것만 열심히 했다. 요가는 해보지 않았던 것이고 잘할 수도 없는 것이었다. 내게 요가란 그런 것이다. 그래서 그만둘 수 없었고, 그래서 열심히 한다. 이길 때의 기분을 오랜만에 느끼면서 그동안 쌓아왔던 경험치가 바닥을 드러내고 있는 걸 발견하게 된다. 다시 시작할 때다.

천
장
과

바
닥

천장과 바닥에 대해 생각해본 일이 있는가. 천장은 머리끝에 있고 바닥은 발끝에 있다. 둘 다 살면서 당연하게 스치는 공간이다. 그러나 막상 그게 뭔지 실감하게 되는 일은 많지 않다.

바닥이 있어야 세상이 땅 밑으로 꺼지지 않고 천장이 있어야 세상이 내 머리 위로 쏟아져 내리지 않을 테니 천장과 바닥은 언제나 고맙고 필요한 내 편 같았다. 천장이 내려앉고 바닥에 뒹굴기 전까지는 말이다. 살다 보면 그런 날이 온다. 퀭한 눈으로 허공을 노려보고 누워 천장이 천천히 내려와 내 몸을 눌러오는 것을 느끼고 꼼짝없이 잠을 설치며 그것이 얼마나 무겁고 잔인한지 알게 되는 날. 바닥에 뒹굴어 뺨이 닿았을 때 광대 깊숙이 울림을 느끼며 그게 얼마나 딱딱하고 차가웠던 것인지 깨닫게 되는 날이 말이다.

천장과 바닥이라는 것이 호시탐탐 내가 무너지기를 기다리고 있었던 숙적처럼 느껴졌던 밤에 관해 쓰기를 나는 여러 날 동안 망설여왔다. 사실 복기하고 싶은 기억이 아니다. 고통에 대해 소란스럽게 주절거리고 싶지 않았다. 특히 그날 밤에 관해선 내가 무슨 일을 겪은 건지 정확히 알 수 없어서 언급하고 싶지 않았다. 다만 지난 글에서 언젠가 쓰기로 약속했고, 그게 언제일지 물어오는 독자들의 질문을 계속 무시할 수 없어 쓰기로 했다. 누군가에게는 도움이 될지도 모르겠다.

처음 림프종을 진단받았을 때 나는 그게 암이라는 것만 알았지 어떤 병인지에 관해 잘 알지 못했다. 처음 들어보는 이름이었다. 같은 병을 앓았던 사람들의 기록을 찾아보면서 그들이 같은 진단명임에도 백혈병으로 분류되어 치료받았다는 걸 알게 되었다. 백혈병은 들어봤으니 그런가 보다 했다. 사실 지금도 정확히 안다고는 못 하겠다. 아무튼 똑같은 혈액암이고 치료 방법도 같았다. 특정 부위에 암이 있는 게 아니라 온몸에 퍼져 있었다. 그러므로 수술은 불가능하고 약물로 치료해야 했다.

골수까지 병이 침범해 있는지 알아보기 위해 드릴로 척추를 뚫으면서 나는 이 모든 게 아마도 별거 아닐지 모르겠다는 생각을 했다. 골수 검사를 하는 장면을 영화나 드라마에서 여러 번 봤는데, 그때 보면서 느꼈던 것보다 훨씬 아프지 않았다. 자신만만했다. 원래 고통에 무감각한 편이다. 참는 거라면 누구보다 잘할 수 있었다.

3차 항암을 마치고 집에 돌아왔을 때 나는 완전히 망가져 있었다. 망가져 있다, 는 말을 내가 얼마나 쉽고 편하게 써왔는지 그때 알았다. 푹 자고 일어나 샤워를 한다고 해서 씻겨 내려가지 않는 것들이 있다. 머리털과 눈썹이 사라진 건 고통 축에도 끼지 못했다. 단 하루만 통증 없이 잘 수 있다면 평생 머리털과 눈썹이 없어도 상관없었다.

항암 부작용이 사람마다 다르게 온다는 말은 여러 번 들어 알고 있었다. 그러나 누군가 고통을 주기로 작정이라도 한 모양인지 내가 가장 혐오할 만한 부작용만 골라서 비처럼 쏟아지는 기분이었다. 온몸이 부어 물건을 집는 것도 힘이

들었다. 손과 발에서 감각이 사라진 지는 오래되었고 몸무게는 평생 경험해본 적이 없는 숫자를 넘어섰다. 겉으로 보면 그보다 훨씬 더 비대해 보였다. 집에서 거울을 모두 치워버렸지만 씻을 때마다 어쩔 수 없이 보게 되는 욕실 거울 속에는 내가 아닌 다른 누군가가 꿈틀대고 있었다.

아침에 일어나서 밤에 겨우 잠들 때까지 구역질이 계속되었고 딸꾹질이 사흘 동안 그치지 않기도 했다. 무언가를 삼키려면 한동안 노려보고 있다가 침을 여러 번 삼켜 토하지 않겠다는 확신이 들 때 겨우 목구멍으로 넘길 수 있었다. 한번은 욕을 내뱉고 수저를 집어던졌다. 항암 중에 먹지 않으면 정말 죽는다는 협박성 조언이 떠올랐다. 살고 싶은지 아닌지 확신하지 못하면서도 뒤뚱뒤뚱 걸어가 수저를 줍고 바닥을 닦았다. 그리고 다시 먹었다.

인간이라면 노력하지 않아도 당연히 작동한다고 생각했던 모든 것들, 삼키고 뱉고 싸고 자는 모든 것들이 제대로 기능하지 않거나 아예 먹통이 되었다. 나는 내가 더 이상 사람처럼 느껴지지 않았다. 사람처럼 생겼지만 정확히 사람이라고 보기는 어려운 무언가가 되어 있었다. 변기 위에 앉아 있다가 내가 더 이상 사람처럼 배변할 수 없다는 걸 한 시간 만에 깨달았다. 그날 처음 울었다.

그러나 밤이 주는 고통에 비교하면 다른 건 참을 만한 것이었다. 밤은 끔찍했다. 늘 그랬다. 해가 지면 더 아팠다. 그러면 마약성 진통제를 먹었다. 해골이 그려져 있는 비닐을 뜯고 알약을 삼킨다. 정량을 먹어봤자 고통에는 거의 변함이 없다. 그렇다고 하나 더 먹기에는 비닐에 그려진 해골이 너무 크다. 그럴 때는 함께 처방된 수면제를 챙긴다.

수면제와 진통제를 먹고 침대에 누우면 그때부터 시작이다. 내 삶에 고통을 안긴 사람들의 얼굴이 천장에 투사된다. 나를 배신하고, 기만하고, 속였던 사람들이다. 나는 그들이 내게 암을 심었다고 확신했다. 이자들이 천장에 맺혀 나를 내려다본다. 축축하고 무거워진 천장이 천천히 나를 향해 내려온다. 내려올 때마다 그들을 향한 원망과 증오도 한층 더

해진다. 수백 번 자세를 바꾸어 외면해보려 해도 소용이 없다. 마침내 천장이 코앞까지 전진해오고 질식하기 직전이 되어 나는 겨우 잠이 든다. 그리고 두 시간 후에 아파서 깨어난다. 다시 천장에 깔려 질식하기를 영원처럼 반복한다. 아침 해가 밝았을 때 나는 거의 죽어 있다.

너무 당연한 결론이었다. 나는 어느 날 죽기로 마음먹었다. 나을 수 있을 것 같지 않았고, 낫는다고 해도 정상적인 사람의 모습으로 돌아가지 못하리라 생각했다. 무엇보다 더 이상 고통을 참는 게 무의미하게 느껴졌다. 거창하게 유언 같은 걸 남길 생각은 없었다. 간단하게 집은 엄마에게, 현금은 동생에게 남긴다고 썼다. 돈으로 돈을 버는 투자 같은 건 해본 적도 없고 해볼 생각도 없었기 때문에 정리가 간단해 좋았다. 마지막으로 청소를 하고 목욕을 했다. 그리고 남아 있던 마약성 진통제와 수면제를 모두 먹었다. 이불을 잘 정리하고 그 위에 바로 누웠다.

이후의 몇 시간에 관해 뭐라고 써야 할지 잘 모르겠다. 몇 시간인지 몇 분인지조차 모르겠다. 겪은 대로 쓰기에는 기억이 제대로 나지 않고 무엇보다 그게 실제로 일어난 일인지 확신할 수 없다. 나는 기절한 것처럼 잠들었다가 벌떡 일어났다. 그리고 다시 잠들었다. 그렇게 잠들었다 일어나기를 몇 번 반복했는지 정확하지 않다. 마지막으로 일어났을 때 뭔가를 들었다.

폭죽 소리를 들었다. 그건 분명히 폭죽 소리였다. 밖에서 들리는 흐리고 탁한 소리가 아니었다. 방 안에서 터진 듯 정확하고 또렷한 폭죽 소리였다. 그날 밤에 또렷하고 정확한 것이라고는 그 소리밖에 없었다.

나는 다시 누웠지만 잠들지 않았다. 혼란스럽고 무서웠다. 내가 지금 대체 무슨 정신 나간 짓을 하고 있는 거냐는 생각을 했던 게 기억난다. 그리고 아마도 미친 소리 같겠지만, 누군가의 대답이라도 들은 듯 평소 나를 괴롭혀왔던 특정한 삶의 문제에 관해 이상할 정도로 구체적인 확신이 떠올랐다. 이건 나만의 비밀로 남겨두겠다. 일어나서 화장실로 갔다. 그리고 더 이상 위액조차 나오지 않을 때까지 오랫동안 모든 걸 토해냈다. 겨우 몸을 추스리고 다시 목욕을 했다. 휘청거리다 넘어져 욕실 바닥에 얼굴이 닿았다. 뜨거운 물이 틀어져 있는데도 바닥은 차고 단단했다.

그게 그날 밤의 전말이다. 정신을 차리고 침대에 앉아 휴대폰을 다시 켰다. 방송을 하면서 알게 되었던 형의 문자가 와 있었다. 그냥 안부 문자였다. 이상하리만치 마음이 편해졌다. 불과 몇 분 전까지 이길 수 없는 문제들에 함몰되어 포기하고 허우적대고 있었는데 이제는 그냥 일상적인 삶의 궤도 위로 돌아와 있었다. 그런 보통의 감정을 느낀 건 항암을 시작한 이후 처음이었다.

동이 트자마자 나는 병원에 갔다. 몇 가지 진찰을 하고 부작용들에 관해 약을 더 처방받았다. 이제는 내게 어떤 부작용이 있는지 알고 있으니 항암을 할 때마다 미리 막으면 된다고 생각했다. 운동을 다시 시작했고 평소 좋아하는 음식들 위주로 더 열심히 먹었다. 나는 살기로 결정했다. 병과 싸우는 게 거짓말처럼 수월해지지는 않았다. 하지만 적어도 전처럼 절망적이지는 않았다. 이 모든 게 벌써 1년 전이다. 전보다 건강하고 전보다 긍정적이며 전보다 무엇을 해야 할지에 관한 확신이 있다. 내가 그날 밤에 겪은 일 때문이 아니다. 살기로 결정했기 때문이다.

매일 밤 침대에 누워 잠이 들기 전 그런 생각을 한다. 지금이 시간에도 누군가 내가 보았던 천장과 바닥을 감당하고 있을 거라고 말이다. 그 어둡고 축축한 구석을 오랫동안 응시하며 정확히 뭐라고 호소해야 할지조차 알 수 없는 고통에 시달리고 있을 거라고 말이다. 피해의식과 절망과 비탄으로 현실을 왜곡하고 애꿎은 주변을 파괴하며 오직 비관과 자조만을 동행 삼아 이 모든 건 결코 바뀌지 않을 거라 믿고 있을 거라고 말이다. 그래서 돌이킬 수 없는 선택을 하기도 할 거라고 말이다. 여러분의 고통에 관해 알고 있다고 말하고 싶지 않다. 이해하고 있다고 말하고 싶지도 않다. 그건 기만이다. 고통이란 계량화되지 않고 비교할 수 없으며 천 명에게 천 가지의 천장과 바닥이 있기 때문이다.

그러나 살기로 결정하라고 말하고 싶다. 죽지 못해 관성과 비탄으로 사는 게 아니라 자신의 의지에 따라 살기로 결정하라고 말이다.

만약 당신이 살기로 결정한다면, 천장과 바닥 사이의 삶을 감당하고 살아내기로 결정한다면, 더 이상 천장에 맺힌 피해의식과 바닥에 깔린 현실이 전과 같은 무게로 당신을 짓누르거나 얼굴을 짓이기지 않을 거라고 약속할 수 있다. 적어도 전처럼 속수무책으로 당하지는 않을 거라고 약속할 수 있다. 그 밤은 여지껏 많은 사람들을 삼켜왔다. 그러나 살기로 결정한 사람을 그 밤은 결코 집어삼킬 수 없다. 이건 나와 여러분 사이의 약속이다. 그러니까, 살아라.

나는 살기로 결정했다.
병과 싸우는 게 거짓말처럼 수월해지지는 않았다.
하지만 적어도 전처럼 절망적이지는 않았다.

내가 그날 밤에 겪은 일 때문이 아니다.
살기로 결정했기 때문이다.

불행에

대처하는 방법

서점을 갔다. 익일 배송보다 빨리 확인해야 할 책이 종종 있다. 내가 원하는 페이지가 웹의 미리보기 서비스에 나오면 좋겠지만 그럴 확률은 경험상 제로에 가깝다. 이렇게까지 급하게 필요한 책은 흡사 약속이라도 한듯 전자책 역시 나와 있지 않다. 이럴 때 보통 우리는 어디를 가더라. 그렇다. 서점이다.

그러나 동네마다 있었던 서점은 모두 자취를 감추었다. 세번 접어 정사각형이 된 오천 원 지폐를 부적처럼 주머니에 넣고 찾아온 소년 소녀들의 삶을, 예상치 못한 문장과 함께 송두리째 뒤흔들어 바꾸어놓기 일쑤였던 동네 서점은 부동산과 카페에 자리를 내주었다. 골목 깊숙이 뿌리를 내려 고목처럼 새겨져 있던 서점들도 어느 순간 버티지 못하고 뽑혀 사라졌다.

그렇게 급하게 필요한 책이 있을 때 찾는 곳이 있다. 용산의

상가 건물에 위치한 작은 서점이다. 스피커를 사러 갔다가 우연히 찾았다. 도심의 대형 서점을 찾기 부담스러울 때 참 좋은 곳이다. 서점에 미리 전화를 걸어 재고를 확인한 뒤 집을 나섰다. 이 서점은 다 좋은 데 단점이 하나 있다. 주차장이다. 건물을 끼고 뒤로 돌아가는 상가 주차장인데 상당히 좁다. 게다가 출구와 입구가 같아서 무인 차단기를 가운데 두고 들어가려는 자와 나오려는 자가 대치하는 일이 간혹 벌어진다. 보통 이렇게 주차장이 좁은 경우 건물의 뒤로 돌아들어 가는 왼쪽 길에 입구가, 오른쪽 길에 출구가 있기 마련인데 왜 이렇게 설계를 했는지, 어떻게 허가가 났는지 모를 일이다.

서점에 도착하자 직원이 미리 빼놓았던 책을 건네주었다. 책을 받아 들자 만족스럽다. 무게감도, 엄지와 검지가 표지에 닿는 감촉도 마음에 든다. 신용카드를 꺼내는 동안 직원이 묻는다. 차 가져오셨지요? 단골이기 때문에 그녀는 내 차 뒷번호를 알고 있다. 주차비가 선결제되었다. 이것도 이 서점의 장점이다. 책을 사면 주차비는 공짜다.

건물을 나서 차에 탔다. 시동을 건 뒤 건물을 끼고 돌아 차단기로 접근했다. 선결제가 되어 있기 때문에 차단기는 자동으로 올라가야 한다. 그런데 올라가지 않는다. 잠시 멈추어 있다가 조금 후진해서 다시 진입해보았다. 차단기는 여전히 움직이지 않는다. 뭐가 문제지? 나는 차에서 내려 주차장 관리실 쪽으로 달려갔다. 관리인 아저씨와 눈이 마주쳤다. 내가 묻기도 전에 아저씨가 대답했다. 주차비 결제가 안 됐어.

나는 망설이지 않고 신용카드를 꺼내 주차비를 결제했다. 이것 때문에 다시 건물 안으로 들어가 서점에 사정을 이야기하는 사이 차단기 반대편으로 들어오는 차가 있다면 곤란하다. 서둘러 차로 뛰어갔다. 뛰어가는 뒤통수에 대고 아저씨가 소리쳤다. 센서가 인식 못 할 수 있으니까 충분히 후진했다가 나가야 해!

차에 타 정면을 보니 아뿔싸. 하얀색 차가 진입을 망설이며 이쪽을 보는 중이다. 나는 잠시 기다려달라고 수신호를 들어 보인 뒤 조금 후진했다가 차단기로 다가갔다. 여전히 올라가지 않는다. 이번에는 좀 더 많이 후진했다. 그랬더니 하얀색 차가 움직이기 시작했다. 내가 주차장으로 다시 들어가는 줄 안 모양이다. 나는 포기하고 최대한 후진해 주차장의 연석 코앞까지 차를 뺐다. 여기서 차를 꺾어 주차장으로 아예 들어가 버리면 하얀색 차가 들어올 공간이 사라져버리기 때문에 이 방법뿐이다.

차단기가 열리고 하얀색 차가 접근해 왔다. 그런데 주차장 쪽으로 꺾어 들어가지 않고 내 차 앞에 멀찍이 그냥 서버리는 게 아닌가. 왜 주차장으로 들어가지 않지. 가만 보니 진입하다가 내 차에 닿을까 봐 조금 더 후진하길 바라는 모양이다. 하지만 내 차와 하얀색 차 사이의 거리는 이미 꽤 멀다. 1톤 트럭도 지나가겠다. 저기 수영장도 파고 주차장도 하나 새로 만들겠다, 아니 왜 못 지나가는 건데. 아무래도 운전이 서투른 사람인가 싶어 조금이라도 더 통로 모서리에 붙여줘야겠다고 결심했다. 차를 조금 앞으로 뺐다가 뒤로, 그리고 옆으로 바짝 붙였다. 그러다 빠바박, 긁히는 소리. 응? 연석에 닿았을 리 없는데? 짜증이 확 밀려온다. 창문을 열어 내다보니 왼편의 연석 위로 철제 장비가 비죽 튀어나와 있다. 하느님 맙소사.

기가 막히게도 여전히 하얀색 차는 꼼짝도 하지 않는다. 보다 못한 주차장 아저씨가 달려오더니 하얀색 차에 빨리 들어오라고 손짓을 한다. 그래도 얼른 움직이지 않는다. 이렇게 공간이 넓은데 왜 못 들어오느냐고 역정을 내는 아저씨의 소리가 들려온다. 그제야 차가 천천히 움직인다. 조금씩한 번 조금씩 두 번 돌더니 부자가 바늘귀를 통과하듯 세상어렵게 빠져나간다. 나는 차에서 내려 상태를 확인해보았다. 길게 찢어진 상처가 눈에 들어온다. 아하아아.

집으로 향하는 내내 머릿속이 먹구름이다. 이걸 하지 않았으면 그걸 좀 제대로 해주었다면 저게 애초 없었다면, 따위의 말들이 문장부호 없이 어지럽게 뒤섞였다가 뭉개지기를 반복한다. 이 반복이 열 번 이상 계속되고 나면 이성의 소리가 들려온다. 시간을 되돌릴 수도, 주워 담을 수도 없이 이미 벌어져 끝난 일을 두고 왜 새롭게 고통받느냐는 생각이다. 머리를 흔들고 숨을 크게 들이마셨다가 내쉬어본다. 30초가 지나고 나면 나는 앞선 생각들을 처음부터 되풀이하고 있다.

불행한 일을 겪으면 사람의 머릿속은 그렇게 된다. 그리고 불행의 인과관계를 따져 변수를 하나씩 제거해보며 책임을 돌릴 수 있는 가장 그럴싸한 대상을 추적하기 시작한다. 내 차에 상처가 생긴 가장 큰 원인은 뭘까. 내가 원하는 페이지를 정확히 미리보기 서비스해주지 않은 인터넷 서점인가. 좀 더 기민하게 전자책 파일을 등록하지 않은 출판사인가. 주차비를 선결제하는 데 실패한 서점 직원인가. 좀 더 빨리 달려 나와 하얀색 차를 다그치지 않은 주차장 관리 아저씨인가. 연석 위에 비죽 튀어나오게 철제 장비를 방치해둔 누군가인가. 충분히 지나갈 수 있는 공간을 만들어주었으면 그냥 가만히 있을 일이지 도와준답시고 연석에 좀 더 바짝 붙이려던 나인가. 차에 탄 채로 앞구르기를 해도 지나갈 수 있는 공간을 통과하지 못하고 그냥 버티고 서 있던 하얀색 차인가.

청년들의 고민을 듣다 보면 스무 해 전에 내가 했던 고민과 똑같아 놀랄 때가 있다. 그 가운데서도 이별 문제가 특히 그렇다. 이들은 대개 자신이 한 특정한 행동 때문에 상대가 결별을 결정했다고 생각한다. 그 특정한 행동을 바꿀 수만 있다면, 시간을 돌릴 수만 있다면 좋을 텐데. 그럼 우리는 헤어지지 않았을 텐데. 이와 같은 생각에 몰두한다. 그래서 집 앞에 찾아가기도 하고 새벽 두 시에 전화를 걸기도 하며 열심히 노력한다. 문제의 특정한 행동은 말 그대로 특정한 행동일 뿐 얼마든지 고칠 수 있는 것이며, 이것만 수정되면 상대가 이별을 철회하리라 생각하기 때문이다.

그렇게 여러 명의 상대를 떠나보내고 내가 떠나오기를 반복하며 삶을 살아내다 어느 순간 마침내 깨닫게 된다. 그것 때문에 헤어진 게 아니라는 걸 말이다. 시간을 돌려 특정한 행동을 고치거나 아예 벌어지지 않게 한다고 해도 달라지는 건 없었을 거라는 걸 말이다. 관계가 이어졌다가 끊어지기

살고 싶다는 농담

까지의 과정에서 명확한 건 오직 시작과 끝뿐이다. 나머지는 복잡하게 얽혀 있는 실타래다. 거기서 선명한 원인 한 가지를 찾아내겠다고 애쓰는 건 이미 먹고 있던 국수 그릇에서 처음 삼킨 면과 마지막에 삼킬 면의 시작과 끝을 찾아 이어보겠다는 것과 마찬가지다.

요컨대 불행의 인과관계를 선명하게 규명해보겠다는 집착에는 아무런 요점도 의미도 없다는 것이다. 그건 그저 또 다른 고통에 불과하다. 아니 어쩌면 삶의 가장 큰 고통일 것이다. 그러한 집착은 애초 존재하지 않았던 인과관계를 창조한다. 끊임없이 과거를 소환하고 반추해서 기어이 자기 자신을 피해자로 만들어낸다. 내가 가해자일 가능성은 철저하게 제거한다. 나는 언제까지나 피해자여야만 한다는 생각은 기이하다. 개인사에서도 그렇고 국제정치에서도 그렇다. 스스로를 변치 않는 피해자로 설정하고 그러므로 옳을 수밖에 없다고 주장하는 피해자 정치의 근성은 이 시대의 가장 비뚤어진 풍경 가운데 하나다. 당장 이기기 좋은 전략일지 모른다. 그러나 결국 사람을 망친다.

사람의 능력으로 특정할 수 있는 몇 가지 원인을 고치거나 없앤다고 해서 그 일이 벌어지지 않았으리라 장담할 수 없다. 벌어질 일은 반드시 벌어진다. 운명 이야기가 아니다. 충분한 원인과 조건이 갖추어졌기 때문에 결국 벌어질 수밖에 없었던 일이라는 이야기다. 피할 수 없다. 겸허하게 받아들이고 결과를 감당하며 같은 실수를 반복하지 않도록 있는 힘껏 노력할 뿐이다.

오늘 밤도 똑같이 엄숙하고 비장한 표정으로 나를 내려다보는 천장에 맞서 분투할 청년들에게 말하고 싶다. 네가 생각하고 있는 그것 때문에 벌어진 일이 아니다. 벌어질 일이 벌어진 거다. 그러니까 괜찮다. 찾을 수 없는 원인을 찾아가며 무언가를 탓하느라 시간을 낭비하는 대신에 수습하고, 감당하고, 다음 일을 하자. 그러면 다음에 불행과 마주했을 때 조금은 더 수월하게 수습하고, 감당하고, 다음 일을 할 수 있다. 내일은 차를 수리해야겠다.

만약에

만약에, 라고.

가장 괴로웠던 순간에는 늘 그렇게 생각했었던 것 같다. 만약에 그때 내가 그 말을 하지 않았다면. 만약에 그때 훼방꾼이 나타나지 않았다면. 만약에 그때 거기 가지 않았다면. 만약에 내가 술을 마시고 그런 이야기를 하지 않았다면. 만약에 그때 네가 다른 사람의 말을 듣지 않았다면. 만약에 내가 조금 더 강한 사람이었다면. 만약에 네가 조금 더 우리를 믿었다면. 만약에 처음부터 완전히 다시 시작할 수 있다면. 만약에 인연이 끝났던 그 마지막이라도 다시 되풀이할 수 있다면. 만약에. 만약에. 그렇게 만약에, 가 쌓여 뭔가 단단히 움켜쥘 수 있는 닻과 같은 것이 되어준다면, 그래서 내가 지금 이 꼴사납고 남부끄러운 감정의 파고에 휩쓸리지 않을 수 있다면.

그러나 인생은 대개 꼴사납고 남부끄러운 일의 연속이다.

우리는 이별에 특정한 계기가 있었던 것이라 생각하고 그것을 되돌리지 못해 있는 힘껏 자책을 하지만 사실 대부분의 경우 헤어지는 건 '그냥' 헤어지는 거다. 만약에, 를 여러 번 곱씹는다고 해서 달라지는 건 아무것도 없다.

그래서 만약에, 라는 말은 슬프다. 이루어질 리 없고 되풀이될 리 없으며 되돌린다고 해서 잘될 리 없는 것을 모두가 대책 없이 붙잡고 있을 수밖에 없어서 만약에, 는 슬픈 것이다. 당신이 〈라라랜드〉에 무너져 내렸다면 바로 그런 이유 때문일 것이다.

〈라라랜드〉는 감독의 전작 〈위플래쉬〉만큼이나 빈구석이 보이지 않는 영화다. 고전 뮤지컬 영화들에 대한 존경으로 점철된 이 영화는 시네마스코프 비율을 선택해 옆으로 길어진 꼭 그만큼이나 더 많은 '봐야 할 것들'이 기분 좋게 들어차 있다. 오프닝 시퀀스를 떠올려보자. 스코어가 끝나는 순간 고가도로를 점령하고 있는 차들의 꼬리를 따라 끝까지 시선을 이동해보면 스크린의 마지막 한 뼘에 이르기까지 배우들이 혼신의 노력을 다해 몸짓을 하고 있는 걸 발견할 수 있다. 최선이 담긴 흥겨움은 반드시 전염된다. 시작부터 관객은 무장해제 당한다.

흥겨운 영화는 종종 난장으로 빠지기 일쑤다. 그러나 데이미언 셔젤은 화면 위의 모든 것들을 흡사 악기처럼 조율해낸다. 웃음도 증오도 일말의 머뭇거림도 그의 영화에서는 우연의 산물이 아닌 온전히 의도된 구성으로 제 기능을 한다.

이렇게 악기의 조율을 떠올릴 정도로 완전히 통제된 영화의 경우 숨이 막힐 것 같다는 불평이 생기기도 한다. 스탠리 큐브릭의 영화 앞에 속수무책으로 압도되는 걸 즐기는 사람도 있지만 그렇지 않은 관객도 있기 마련이다. 그러나 데이미언 셔젤은 그렇게 잘 조율되고 통제된 영화를 만들면서도 관객이 자신의 기억을 투영하고 공감할 수 있는 여유 또한 확보해낸다. 이 영화의 마지막 시퀀스처럼 말이다. 진짜 재능이란 이런 것이다.

사실 나는 마지막 시퀀스를 보기 전까지는 거의 이 영화를 싫어할 뻔했다. 물론 〈라라랜드〉는 즐겁기 짝이 없고 따라 부르고 싶은 음악이 함께하며 같이 추고 싶은 춤으로 가득했다. 뮤지컬 영화에서 완전무결한 내러티브를 기대하는 건 욕심이기도 하다. 그러나 이게 고전 뮤지컬 영화의 재현에 가까운 작품이라는 점을 감안하더라도 〈라라랜드〉의 갈등 구조는 지나치게 쉽고 편하다. 그 '지나치게 쉽고 편한' 내러티브가 안일한 연출이나 각본의 문제가 아니라 애초 감독이 철저하게 의도한 그림이라는 게 시종일관 너무 빤하게 드러나서 영화를 보는 동안 불만은 점점 더 커져만 간다.

특히 주인공들의 태도가 너무 나이스하다. 어떤 종류의 결핍도 경험해본 적이 없었던 것처럼 행동하기 때문에 낭만적으로는 보여도 현실적으로는 보이지 않는다. 가난한 예술가와 배우 지망생의 사랑에 현실적인 재정 문제는 잘 드러나지 않고, 누군가 떠나가고 떠나보낼 때마저 너 때문이야 나 때문이야, 네가 성공한 건 내 덕분이야, 내가 실패한 건 너 때문이야, 따위의 지저분한 자존감 대결도 보이지 않는다.

〈라라랜드〉에 공감할 수 없다는 관객의 팔 할은 주인공들의 태도에 몰입하지 못한 결과일 공산이 크다.

만약 생살을 긁어 파내듯 아프기 짝이 없는 〈라라랜드〉의 현실적인 버전을 보고 싶다면 라이언 고슬링이 출연한 영화 〈블루 발렌타인〉을 보는 게 나을 것이다. 이 비관적이고 현명한 영화는 연애 문제를 앓고 있는 많은 이들에게 〈이터널 선샤인〉 〈500일의 썸머〉와 함께 불멸의 레퍼런스로 오랫동안 언급될 만하다.

〈라라랜드〉의 모든 갈등은 예상한 시점에서 찾아오고 쉽게 해결된다. 빠르게 흘러가는 이야기를 채우는 정서는 좋게 말해서 낭만적이고 정직하게 말해서 예측 가능한 지루함이다.

겨울이 오기 전, 그러니까 마지막 시퀀스 전까지 그렇다는 이야기다.

〈라라랜드〉는 이 영화가 1950년대가 아닌 2016년에 개봉했다는 사실을 잊은 것처럼 전개되다가 마지막에 이르러서야 비로소 현대적인 뮤지컬 영화로 정체성을 확실히 한다. 현실감각과 진중함, 그리고 사유의 가능성마저 모두 챙기는 데 성공하는 것이다.

주인공들이 다시 만나고, 그들이 가장 행복했을 것 같은 버전의 '만약에'가 화면을 채운다. 즐겁고 행복해 보이지만 사실 그럴 리가 없다. 주인공의 가정은 완전무결한 환상의 결과물이기 때문이다. 논리도 없고 앞뒤도 맞지 않으며 등장인물들은 상황에 맞지 않게 행동하고 시공간은 수시로 허물어져 뮤지컬 스코어와 함께 어우러진다. 말 그대로 실현 불가능한 상상이다. 모든 선택의 순간 가장 최상의 결과만이 존재했다면, 이라는 가정 아래 만들어진 판타지다.

그럼에도 이 아무 의미 없는 상상은 관객을 무너뜨린다. 우리 모두가 그런 적이 있기 때문이다. 현실의 잔인무도함을 이기기 위해 만약에, 라고 만 번쯤 상상해보았기 때문이다.

그리고 그건 매번 그렇게 속수무책으로 아름답고 아련했기 때문이다. 만약에, 그랬다면 우리는 행복했을까. 그럴 리 없다는 자괴감과 행복을 빌어주는 선의가 섞여 한숨이 나온다. 그 한숨의 힘을 빌려 사람들은 오늘도 아무렇지 않은 듯 하루를 살아간다. 라이언 고슬링의 마지막 모습처럼 말이다. 하나, 둘, 셋, 넷. 숫자를 세고 다시 건반을 치자.

당신 인생의

일곱 가지 장면

〈굿 와이프〉 일곱 번째 시즌 열일곱 번째 에피소드의 첫 장면은 다음과 같다. 모두 일곱 개의 컷으로 이루어져 있다. 첫 번째는 딸이 태어나 처음으로 걷는 날이다. 두 번째는 벌써 조금 자란 아이가 첫 등교를 하는 날이다. 세 번째는 아이가 학교에서 장래 희망을 발표하는 날이다. 네 번째는 어느새 사춘기를 맞은 아이가 교정기 때문에 아무도 자기를 좋아하지 않는다며 눈물을 흘리고 슬퍼하는 장면이다. 다섯 번째는 부쩍 자란 아이가 졸업 무도회에 가려고 드레스를 차려입고 계단을 천천히 내려오는 모습이다. 여섯 번째는 그녀가 첫사랑과 키스를 하는 장면이다. 일곱 번째는 이제 성인이 된 그녀가 아버지와 평화롭게 대화하고 있는 모습이다. 그리고 그녀는 갑자기 어디선가 잘못 날아온 총알에 맞아 사망한다. 여기까지 2분이 걸린다.

처음 보고 두 가지 생각이 들었다. 첫 번째, 편집을 잘했다. 두 번째, 〈굿 와이프〉가 종종 민주당 프로파간다를 자처하는 건 사실이지만 총기 금지 이슈 파이팅을 위해 이렇게까지 선정적으로 했어야 했나. 특히 두 번째 이유 때문에 다소 분했다. 총알이 날아오기 전까지 그 2분 동안 정말 내 딸처럼 애틋했기 때문이다. 조금 울었던 것 같다.

최근 우연히 이걸 다시 보게 되었다. 그런데 처음과는 많이 달랐다. 이야기 자체와는 무관하게 다른 종류의 생각을 하게 되었다. 나라면 어땠을까. 삶을 일곱 가지 장면으로 요약하라고 했을 때 나라면 무얼 골랐을까.

요즘 부쩍 삶이 너무 힘들고 거기 무슨 의미가 있는지 모르겠다는 호소를 자주 듣는다. 구체적인 어려움을 호소하고 해결책을 찾는 사람들과 달리, 이들은 문제를 파악하거나 해결하는 일에 관해 이미 희망을 놓아버린 상태다.

어제는 이런 쪽지를 받았다. 별일 없는 하루다. 언제나 그렇듯이 남편과 싸웠다. 나만 찾는 아이가 오늘은 유독 더 힘들다. 오늘 하루 내내 단 한 번도 진심으로 웃어본 적이 없구

나. 내 아이는 엄마의 얼굴에서 행복이라는 걸 본 적이 있기는 한 걸까. 벌써 마흔이 다 되어가는데 나는 어른이 맞기는 한 걸까. 이런 이야기를 털어놓아 봤자 부모님은 걱정을 하실 테고 친구들은 적당히 공감하고 위로할 테다. 그러니 애초 그냥 말을 하고 싶지가 않다. 인생이 완전 망한 것 같다.

오늘 새벽에는 이런 쪽지를 받았다. 올해 스물일곱 살인데 스무 살로 시간을 돌리고 싶다. 남들은 좋은 나이라고 하지만 나는 내가 다시 시작하기에 너무 늦었다고 생각한다. 철딱서니 없게도 말이다. 아마 스물일곱 살밖에 안 되었으니 그 정도 생각밖에 못 하는 모양이다. 시간을 돌리고 싶은 건, 세상에 나보다 잘난 사람들이 너무 많기 때문이다. 스무 살 때로 돌아가면 뭐 하나라도 열심히 해서 적어도 남들만큼은 할 수 있지 않을까 생각하고 있다. 열등감과 자존감 문제라는 걸 알고 있다. 학벌, 외모, 직업, 집안 무엇 하나 내놓을 게 없다. 도대체 어떻게 해야 열등감을 느끼지 않고 살 수 있는지 모르겠다.

두 가지 질문 모두 나는 대답을 할 수 없다. 나는 행복할 수 있는 방법이나 시간을 돌리는 방법에 대해 알지 못한다. 특히 시간을 돌리는 방법에 관해선 알더라도 돌리고 싶지 않다. 이미 벌어진 일은 벌어진 대로 잘 껴안고 살아갈 생각을 해야지 그것을 인력으로 애써 돌이킨다고 해서 처음처럼 돌아갈 수 있는 게 아니라는 걸, 이제는 삶을 통해 잘 알고 있다. 맙소사 그걸 이 나이 먹고서야 안다.

액정보호필름을 붙이는 것과 같다. 붙이기 어렵다. 먼지가 들어가고 지문이 남는다. 그래서 지금 당장 확 떼어버리고 처음부터 다시 시작하고 싶다는 거 알고 있다. 하지만 그랬다가는 정말 망치게 된다. 미련을 버리지 못해 먼지를 빼고 지문을 지우려다 아예 구겨지고 망가지게 되는 것이다.

물론 운이 좋은 아이들은 액정보호필름을 새 걸로 다시 사주는 부모가 있다. 그런 부모가 없다고 화를 내거나 아파하지 말아라. 시간 낭비다. 그냥 먼지와 지문을 참고 함께 살아가는 방법을 빨리 배우면 된다. 부모가 사준 두 번째 기회를 누리는 아이들은 그런 방법을 배울 굴곡이 없다. 언젠가 알게 되겠지만, 나와 내 주변의 결점을 이해하고 인내하는 태도는 반드시 삶에서 빛을 발한다. 그걸 할 줄 아는 사람과 모르는 사람의 삶은 확연히 차이가 난다.

그렇다고 당신은 사랑받기 위해 태어났다거나 당신에게는 충분한 자격이 있습니다, 걱정할 것 없으니까 삶을 즐기세요, 어머니는 강합니다, 따위의 해괴한 덕담이나 쉽고 따뜻한 말로 에두를 수도 없다. 상대방의 이야기를 듣지 않고도 얼마든지 외워서 해답처럼 중얼거릴 수 있는 명제와 구호들이 있다. 그러나 그런 종류의 쌀로 밥 짓는 이야기는 어느 누구도 진심으로 위로할 수 없다.

나는 이 두 사람에게 내가 가지고 있지 못한 대답 대신에 내가 하고 있던 과제를 나누어 주기로 했다. 앞서 이야기했던, 일곱 가지 장면을 찾는 일 말이다. '제게는 해답이 없습니다. 다만 제가 얼마 전 생각해낸 걸 같이 해봅시다. 내 삶을 대표할 수 있는 일곱 가지 장면을 꼽아보세요. 남에게 보여줄

건 아니고 혼자 하시는 겁니다.'

유물론자에게 어울리는 이야기는 아니지만, 죽음 이후에 뭔가가 더 있다고 가정해보자. 그래서 이제 막 죽은 당신에게 일곱 가지 장면으로 삶을 요약해보라는 과제가 주어졌다고 해보자. 일종의 포트폴리오다. 유튜브 섬네일 이미지라고 생각해도 좋다. 대표 이미지를 일곱 개 고르는 거다.

내 인생은 그저 하찮고 조금도 중요하지 않아서 일곱 개씩이나 되는 장면을 고를 수가 없다며 낙담하는 사람도 있고, 내 인생은 너무 화려하고 중요해서 고작 일곱 개의 장면으로는 요약하는 게 불가능하다며 화를 내는 사람도 있을 것이다. 그러나 낙담하는 자도 화를 내는 자도 결국에는 똑같이 겸허한 마음으로 과제를 마치리라 생각한다. 적막한 삶도 소란스러운 삶도 마지막 일곱 번째 장면은 똑같이 죽음일 수밖에 없기 때문이다. 그리고 우리는 모두 혼자 죽는다.

막상 생각보다 훨씬 재미있는 작업이다. 눈을 감고 여태까지의 삶을 펼쳐본다. 내 삶의 가장 충만한 순간이 떠오른다. 또한 가장 비참한 순간이 떠오른다. 가장 평화로웠던 순간이 떠오르고, 가장 시끌벅적했던 순간이 떠오른다. 가장 고마웠던 순간이 떠오르고, 마지막으로 가장 억울했던 순간이 떠오른다. 수많은 얼굴들이 떠올랐다 사라지고 내가 들은 가장 기쁜 말들과 가장 아픈 말들이 뒤를 따른다. 마지막까지 남아 잘 지워지지 않는 얼굴과 이름들이 있다. 미련이 남지 않게 잘 눌러서 마저 지우고 고개를 들면, 그렇게 일곱 가지 장면을 모두 정한다.

나는 여태 내 삶이 농담 같다고 생각했다. 그것도 딱히 성공적이지 못한 농담 말이다. 백 명의 관객 가운데 두 명밖에 웃기지 못한 실패한 농담. 그게 내가 생각하는 내 삶이었다. 그런데 일곱 가지 장면을 꼽고 보니 생각했던 것보다 꽤 입체적이다. 이야기 속 인물이라고 생각했을 때 적어도 애정을 가지게 되는 종류의 캐릭터 말이다. 일곱 가지 장면을 꼽는 일은 내 삶을 이야기로, 나를 캐릭터로 만든다. 그리고 그 안에서 우리는 더 이상 지나가던 행인이 아니다.

다른 사람들의 과제는 확인할 길이 없다. 사실 이 과제가 제대로 기능하려면 어디까지나 혼자만의 작업이어야 한다. 타인에게 보여주기 위해 선별한 일곱 가지 장면에는 아무런 의미가 없기 때문이다. 과제를 나누어 준 다른 두 사람에게도 나와 같은 효과가 있었으면 좋겠다. 그래서 망했다는 기분이 들지 않았으면 한다. 시간을 돌려서 처음부터 다시 시작하고 싶다는 생각을 하지 않았으면 한다. 부디 평안하기를. 우리의 삶은 남들만큼 비범하고, 남들의 삶은 우리만큼 초라하다.

바꿀 수 없는 것에 대한 평정심과
바꿔야 할 것을 바꿀 수 있는 용기,
그리고 이 둘을 구별할 수 있는 밝은 눈을 갖게 되기를.

8층으로

돌아가다

8층을 눌렀다. 익숙한 버튼이다. 이 버튼의 중앙에는 알아차리지 못할 만큼 작은 돌기가 있다. 플라스틱 사출 흔적인지 뭔가가 묻어 오랜 시간 굳어버린 것인지 알 수 없다. 하지만 그게 거기 있다는 건 알고 있다. 망설이다 보면 반드시 저 돌기와 만나게 된다. 손가락을 가져다 댄 채로 가만히 있기도 하고 손톱 끝으로 튕겨보기도 한다. 그렇게 누르기를 수없이 주저하다 눌렀던 버튼이다. 가고 싶지 않은 곳. 병원 별관 8층 병동. 내가 도대체 여길 왜 다시 왔을까.

투병을 마치고 일상으로 복귀하면서 많은 메시지를 받았다. 몸이 아픈 사람이 절반, 마음이 아픈 사람이 절반이었다. 처음에는 답장을 보내는 게 어렵지 않았다. 주말을 이용해 아침 아홉 시부터 밤 열한 시까지 꼬박 답장을 보낸 날도 있었다. 하지만 하루에 500개가 넘어가면서 포기했다. 물리적으로 불가능한 일이었다. 솔직히 말하자면 그것뿐만은 아니었다. 항암을 끝내고 이제 완전히 회복되었다는 확신이 들었던 순간 이후로 단 한 번도 재발에 대해 떠올려본 적이 없었다. 하지만 재발과 죽음에 관한 수천 가지 이야기를 읽다 보니 상황이 달라졌다. 겁이 났다.

일일이 답장을 쓰기보다 내 이야기가 꼭 필요한 사람과 대화를 하고 싶다는 생각이 들었다. 그래서 사서함을 만들었다. 대화가 절실한 누군가가 사서함에 이야기를 남긴다. 의외로 그냥 말하고 싶었다며 이야기를 남기는 행동 자체로 만족하는 경우가 많다. 그걸 듣고 때로 내 생각을 들려준다. 통화를 하기도 한다.

얼마 되지 않았지만 배우고 느끼는 바가 많다. 사서함 대화를 하다 보니 반드시 이루고 싶은 어떤 꿈이 생겼다. 나 같은 이십 대를 보내는 청년이 없었으면 좋겠다. 내가 언제 어떻게 될지 모르니 꿈으로 어렴풋이 남겨두기보다 준비를 시작했다. 나는 스스로 좋은 사람이라 생각해본 적이 없다. 나름의 기준에 턱없이 모자라다. 하지만 꿈을 이루기 위해 반드시 좋은 사람일 필요는 없다. 그냥 좋은 일을 하면 된다.

사서함에 녹음된 이야기를 듣는데 무뚝뚝한 경상도 억양의 청년이 울기 시작했다. 어머니가 아프다고 한다. 내가 앓았던 림프암이다. 투병한 지 2년째다. 하지만 잘되지 않았다. 병원에서 죽음을 준비하라고 했다. 내 이야기를 들었고, 그래서 절박한 심정에 내가 다녔던 병원으로 옮겼다. 그러니까 꼭 병문안을 와달라는 사연이었다.

난감했다. 오죽하면 이런 부탁을 할까 싶었다. 하지만 그 병동에 다시 들어가고 싶은 마음은 추호도 없었다. 재발하면 어차피 치료 안 받을 거니까 병동에 돌아갈 일은 내 삶에 더는 없으리라 생각했다.

게다가 이게 어머니 부탁인지, 아니면 그냥 아들 마음인지 알 수 없었다. 의사로부터 당신은 죽는다는 말을 들은 말기 암 환자에게 내 병문안이 어떤 효용을 가질 것이며 무엇보다 그걸 원할지 모르겠다. 나였다면 어땠을까. 나는 싫었을 것 같은데. 망설이다 전화를 걸었다. 사연을 남긴 청년과 이야기를 더 해보았다. 그는 삼십 대고 어머니는 오십 대다.

아. 어머니가 너무 젊었다. 아들은 지방에서 직장을 다닌다.
주말마다 서울에 와서 어머니와 함께 시간을 보낸다.

병문안 가는 것을 원하시는지 어머니에게 여쭈어보는 게 먼
저라고 말해주었다. 그리고 만약 어머니가 원하신다면 언제
라도 가겠다고 약속했다. 그렇게 전화를 끊었다. 그날 밤 꿈
을 꾸었다. 병동에 내가 누워 있었다. 세상에서 가장 주사 못
놓는 인턴 청년이 와서 내 팔에 바늘을 다섯 번 꽂다가 결
국 사타구니 왼쪽 동맥에 여섯 번째 주사를 찔러 넣고 그마
저 실패해서 마침내 오른쪽 동맥에서 피를 뽑아갔다. 그러
고 나면 사람이 물에 젖은 갱지처럼 너덜너덜해진다. 그래
서 이불 위에 누워 있는 게 아니라 이불 위에 묻은 얼룩 같
은 것이 된다. 실제 있었던 일이라 꿈에서 깨고 난 이후에도
다시 잠들지 못했다. 당신은 반드시 훌륭한 의사가 되어야
만 한다.

어머니가 너무 기뻐하신다는 말을 전해 들었다. 가기로 결
정했다. 돌아오는 토요일에 아들과 함께 가기로 했다. 하지

만 가지 못했다. 코로나19 사태로 면회가 금지되었다. 한 주를 더 보내고 나서야 아들을 만났다. 사연을 보낸 청년뿐만 아니라 동생과 아버지도 함께 와 있었다.

코로나19 사태 때문에 병문안은 한 번에 한 명씩만 가능했다. 혼자 들어가기로 했다. 혹시 모를 불상사가 생길 경우 추적을 해야 하기 때문에 병원 출입문에서부터 신원과 연락처를 남겨야 했다. 연락처를 남기고 방문 목적에 '환자 면회'를 적다가 뒤늦게 깨달았다. 지난 1년 동안 수없이 많은 밤을 이 병원에서 보냈지만, 정작 누군가를 병문안하기 위해 찾아온 건 이번이 처음이었다.

그렇게 별관 8층으로 향하는 엘리베이터 앞에 다시 섰다. 별관 1층과 2층은 불이 꺼져 있다. 주말이기 때문이다. 주말의 이 적막함을 얼마나 좋아했는지 기억이 났다. 링거를 끌고 다니며 접수대 앞의 의자에 불량하게 걸터앉아서 책을 읽고는 했다. 그즈음에 제일 재미있게 읽은 건 스티븐 킹의 『아웃사이더』였다. 마침내 8층을 눌렀다. 엘리베이터의 문이 열리고, 다시 닫혔다. 그리고 익숙한 광경이 눈앞에 펼쳐졌다.

"관계가 어떻게 되세요?" "아 그러니까 그게, 음, 아는 동생 어머니요." "모르는 사람 면회 오신 거예요?" "그렇게 됐네요." 데스크를 지키고 있던 간호사와 대화를 마치자 병실 복도로 통하는 밀폐문이 열렸다. 나는 내가 누워 있었던 병실과 내가 갇혀 있었던 무균실을 지나쳐서 어머니가 있는 병실로 향했다. 최은희(가명) 어머니. 내가 찾는 어머니의 이름은 최은희였다. 나를 보고 어머니는 환하게 웃었다. 마스크를 쓰고 있었지만 얼마나 기뻐하시는지 알 수 있었다. 그래서 나도 기뻤다. 아무것도 남아 있지 않은 머리에 비니를 눌러쓰고 계시지만, 하얗게 예뻤다. 우리 엄마가 보고 싶다.

어머니와 많은 이야기를 나누었다. 의사는 환자에게 조금 더 친절했으면, 그러니까 이를테면 이제 가망이 없으니 죽음을 준비하라는 따위의 말은 좀 조심해서 했으면 좋겠고 환자는 아무리 미궁 속에 있는 것처럼 뿌옇고 답답해도 다른 길에 현혹되지 말고 오직 병원과 의료진이 시키는 대로만 따랐으면 좋겠다는 생각을 했다. 손을 꼭 잡는데 힘이 느껴져서 좋았다. 면회를 마치고 병원을 나섰다. 그리고 가족들과 사진을 찍었다. 아버지가 시켜서 엄지손가락도 올리고 포즈를 취했는데 하나도 창피하지 않았다.

아버지와 어머니는 이미 몇 년 전에 이혼을 했다고 한다. 아버지가 동생을 맡고 있고 사연을 보낸 형은 직장을 다니며 어머니를 살핀다. 그렇게 남이 되어 따로 살다가 어머니가 암에 걸린 이후로는 아버지가 찾아와서 돌보기도 하고 이렇게 병문안을 오기도 한다는 것이다.

나는 가족의 신화에 대해 믿지 않는 편이다. 가족이라는 말 앞에서 무마되어버리는 수많은 것들이 세상을 조금이라도 망치면 망쳤지 좋게 만들지는 않았다는 마음에서다. 하지만 이 가족의 사정 앞에 크게 감동받았다. 그렇다. 나는 이런 게 진짜 가족이라고 생각한다.

재물을 쌓아 올려 자식에게 고스란히 전수해내는, 혹은 재물 그 자체를 위한 인프라로써 기능할 수 있도록 심혈을 기울이는 지리멸렬한 평생의 과정이 가족의 본령이 아니다. 내부의 갈등을 가족이라는 허명으로 덮어 일방적으로 무마하려 하지 않고 해체되었더라도 위기가 닥쳤을 때는 아무런 조건 없이 언제든 다시 찾아와 옆을 지켜주는 게 가족이다. 그게 반평생을 씨줄과 날줄처럼 엮어서 삶을 공유한 사람들 사이에 마땅한 의리다. 의리 말이다. 아, 한국 사회에서 의리라는 단어는 얼마나 우스꽝스럽게 저평가되어 있는가.

가족이 혈연 공동체라는 이야기를 흔히 한다. 나는 가족이 혈연 이전에 사연으로 유지되는 운명 공동체에 가까운 것이 아닐까 생각한다. 정작 나는 해체된 상태로 그냥 엉망진창이 되어버린 가족의 일원이다. 그래서 그런지 우연하게 하루를 섞은 이 가족이 부럽고 기뻤다. 귀하게 느껴졌다. 8층 버튼 앞에서 머뭇거렸던 손가락의 감각은 잊혔다. 그런 경험들이 있다. 아무리 사소하더라도 사람을 충만하게 만드는 것들이다.

나이가 들수록 크고 격정적이며 값비싼 것보다 이와 같은 경험들이 쌓였을 때 방향감각이 생기고 등이 곧게 펴진다는 사실을 깨닫게 된다. 청년이었을 때 알았다면 더 좋았을 텐데. 어머니는 발병한 이후 처음으로 수치가 호전되었다고 한다. 이제는 나아질 일만 남았다. 최은희 어머니의 완쾌를 바라고 기다리겠습니다.

기억 1
—

존 허트, 나는 사람입니다

영원히 잊히지 않는 장면이 있기 마련이다. 내게는 그런 장면들이 꽤 많다. 그 가운데 두 가지 장면에 관해 이야기하려고 한다. 두 가지 장면에 관한 이야기를 다 듣고 나면 그것이 결국 하나의 이야기라는 걸 알게 될 것이다. 이 두 가지 장면은 모두 한 명의 배우에 관한 이야기다. 그는 평생에 걸쳐 마흔세 번 죽었고, 얼마 전 마지막으로 다시 죽었다. 이 원고는 그에게 바치는 글이다.

첫 번째 장면. 데이비드 린치의 초기작 가운데 〈엘리펀트 맨〉은 실존했던 존 메릭에 관한 이야기를 다루고 있다. 기승전결이 꽤 뚜렷한 서사를 가지고 있다는 점에서 린치의 필모그래피 가운데 가장 그답지 않은 영화일지 모른다. 그러나 이야기보다 이미지와 그것을 둘러싼 공기로 먼저 기억된다는 점에서 〈엘리펀트 맨〉 또한 감독의 인장이 곳곳에 박혀 있는 영화임에 틀림없다.

존 메릭은 다발성 신경섬유종이라는 희귀병을 앓았던 실존 인물이다. 그의 얼굴에는 거대한 섬유종이 달려 있었다. 이러한 기형 때문에 조롱과 멸시를 받았다. 섬유종이 너무 크고 무거워서 질식의 위험 탓에 제대로 누워 잘 수도 없었다. 평생 동안 말이다.

그의 별명은 코끼리 인간이었다. 사람들은 그를 코끼리 인간이라 부르면서 그에게 돌을 던지고 침을 뱉었다. 그는 서커스단에 잡혀 들어가 성인이 될 때까지 구경거리로 살아갔다. 그가 사는 철창에는 코끼리 인간이라는 간판이 걸려 있었다.

어느 고귀한 영혼을 가진 의사가 우연히 존 메릭을 발견한다. 의사(젊은 앤서니 홉킨스가 연기했다)는 존 메릭을 불쌍하게 생각해 그를 서커스에서 구출한다. 그리고 자신이 일하는 왕립 병원으로 그를 데리고 가 보살핀다. 의사는 존 메릭이 자신의 비극적 운명에도 불구하고 매우 지적이며 훌륭한 성품을 가지고 있다는 데 놀란다. 왕립 병원의 쾌적하고 안락

한 공간에서 존 메릭은 조금씩 안정을 찾아간다.

의사가 얼굴에 심각한 기형을 가진 사람을 구출해 왕립 병원에서 보호 중이라는 소식은 영국의 사교계를 강타한다. 곧 사교계의 스타들이 그를 보기 위해 병원을 찾는다. 존 메릭을 만나는 건 당대 사교계의 가장 중대한 화두인 동시에 코스가 된다. 순식간에 존 메릭은 영국 사교계의 슈퍼스타로 돌변한다. 곱게 정장을 차려입은 존 메릭은 파티와 공연장을 누비며 생전 처음으로 사람 대접을 받는다.

그러나 사람 대접을 받는다고 느꼈던 건 착각이었다. 사실 존 메릭은 철창 안에 갇혀 있을 때나 사교계의 스타로 있을 때나 똑같은 서커스의 괴물이다. 구경거리에 불과한 것이다.

보통의 사람들과 결코 섞일 수 없는, 남들과 너무 다른 '괴물'인 자신을 다시 한번 자각하며 존 메릭은 병원을 벗어나 어두운 거리로 걸어 들어간다. 피를 토하는 심정으로 걸어가던 존 메릭을 발견한 사람들이 그의 얼굴을 보고 충격을

살고 싶다는 농담

89

받아 거리로 쏟아져 나온다. 그리고 그의 뒤를 쫓는다. 발걸음을 빨리했으나 존 메릭은 금세 사람들에게 쫓기는 신세가 된다. 한 무리의 군중이 돌을 던지고 야유를 퍼부으며 여기 괴물이 있다고 소리친다. 군중에게 쫓기면서 존 메릭이 목놓아 절규한다. 나는 사람입니다! 나는 사람입니다! 나는 사람입니다!

집으로 돌아온 존 메릭은 평생 처음으로 제대로 누워 잠을 청한다. 그렇게 잠을 자면 질식해 죽으리라는 걸 그도 알고 있다. 존 메릭은 그렇게 죽었다.

나는 사람이라고 절규하며 스크린을 향해 질주하던 존 메릭의 모습이, 이 영화를 처음 본 지 꽤 오래된 지금까지도 결코 잊히지 않는다. 사람들은 자신과 다른 것으로부터 공포를 느낀다. 그리고 공포를 이기기 위해 그것을 혐오하고 욕하며 '괴물'로 분류해낸다. 메리 셸리의 『프랑켄슈타인』과 함께 〈엘리펀트 맨〉은 이 분야에 있어 영원한 레퍼런스로 언급될 것이다. 많은 이들이 평균의 삶에 자신을 맞추어 살아가고 또 그런 가르침을 자식에게 전수하려 애쓰는 것은 세상이 자신과 다른 것에 얼마나 끔찍하고 폭력적으로 반응하는지에 관해 평생 동안 학습했기 때문일지 모른다.

두 번째 장면. 조지 오웰의 소설 『1984』는 변형된 형태로 여러 번 영화화되었다. 테리 길리엄의 〈브라질〉이나 워쇼스키가 제작한 〈브이 포 벤데타〉는 모두 『1984』의 변형된 자식들이다. 정작 원작을 그대로 영화화한 건 단 한 편뿐이다. 1984년 공개된 마이클 래드퍼드의 〈1984〉는 〈브라질〉이나 〈브이 포 벤데타〉만큼 널리 사랑받지는 못했으나 『1984』를 원전으로 한 작품들 가운데 가장 성실하고 아름다운 버전임에 틀림없다.

주인공 윈스턴 스미스는 가상의 국가 오세아니아의 기록국 직원이다. 그가 하는 일은 모든 기록물을 당의 입장에 따라 수정하는 것이다. 오세아니아는 어제까지 유라시아와 전쟁 중이었다. 그러나 당의 입장이 바뀌자 이제껏 싸웠던 건 유라시아가 아니라 동아시아가 되었다. 유라시아는 언제나 우방이었고 동아시아야말로 적국이라는 것이다. 이렇게 당의 입장이 바뀔 때마다 주인공은 모든 종류의 기록물로부터 관련된 문구들을 찾아 수정한다.

여기서 그토록 유명한 『1984』의 문구가 탄생했다. 과거를 지배하는 자가 미래를 지배하며, 현재를 지배하는 자가 과거를 지배한다. 정권을 잡고 있는 자들이 역사 교과서를 바꾸려 하는 건 과거에 집착하기 때문이 아니다. 다시 반복하자면, 과거를 지배하는 자가 미래를 지배하며, 현재를 지배하는 자가 과거를 지배하기 때문이다. 이것을 구조화하는 데 성공하는 정권은 영원히 권력을 누릴 수 있다.

윈스턴 스미스는 이런 자신의 일, 나아가 당에 염증을 느낀다. 물론 겉으로 표현하지는 못한다. 그러나 사랑하는 여성과의 밀회를 통해 주인공은 조금씩 당의 지시와 철학에 반기를 들기 시작한다. 이와 같은 주인공의 일탈은 오래가지 못한다. 곧 사상경찰의 함정수사에 빠진 주인공은 체포되고 사상범 수용소에 갇혀 고문을 당한다. 연이은 고문 끝에 윈스턴 스미스는 정신줄을 놓아버린다. 머릿속의 모든 불필요한 것들을 지워버리고 당과 빅브러더를 향한 무조건적인 사랑만을 남긴다.

마지막 장면에 이르러 바람이 불면 가루가 되어 날아갈 것같이 되어버린 윈스턴 스미스가 카페에 앉아 있다. 물기 하나 없이 바삭하게 말라버린 그가 마음속 깊이 빅브러더를 향한 사랑을 고백한다. 소설의 이 유명한 마지막 독백은 영화 속 윈스턴 스미스의 모습을 통해 원전보다 강렬하고 참담하게 관객을 쥐어짠다. 이 장면은 압권이다. 대체 어떻게 연기해냈는지 보고도 믿지 못할 정도다. 그의 빛을 잃은 동공과 손짓을 볼 때마다 나는 엉엉 울었다.

존 메릭이었으며 윈스턴 스미스였던 이 남자는 〈미드나잇 익스프레스〉〈에이리언〉 그리고 〈설국열차〉에 이르기까지 별빛처럼 무수한 영화들에서 영원처럼 죽고 살았다. 단언컨대 우리는 다시는 이런 배우를 보지 못할 것이다. 단지 두 가지 장면을 다시 떠올리는 것만으로 채워진 이 때늦은 추모가 부디 그에게 누가 되지 않기를. 영화 이외의 것으로 당신을 떠올리는 건 무례한 일이라고 생각했습니다. 배우 존 허트가 세상을 떠났다.

보통의 사람들과 결코 섞일 수 없는, 남들과 너무 다른 '괴물' 인 자신을 다시 한번 자각하며 존 메릭은 병원을 벗어나 어두운 거리로 걸어 들어간다. 피를 토하는 심정으로 걸어가던 존 메릭을 발견한 사람들이 그의 얼굴을 보고 충격을 받아 거리로 쏟아져 나온다. 한 무리의 군중이 돌을 던지고 야유를 퍼부으며 여기 괴물이 있다고 소리친다. 군중에게 쫓기면서 존 메릭이 목놓아 절규한다.

나는 사람입니다!
나는 사람입니다!
나는 사람입니다!

Part 2.

삶의 바닥에서
괜찮다는 말이
필요할 때

바꿀 수 없는 것을 평온하게 받아들이는 은혜와

바꿔야 할 것을 바꿀 수 있는 용기,

그리고 이 둘을 분별하는 지혜를 허락하소서.

Give us grace to accept with serenity the things that cannot be changed,

courage to change the things that should be changed,

and the wisdom to distinguish the one from the other.

_ *Karl Paul Reinhold Niebuhr*

믿지 않고, 기대하지 않던

나의 셈은 틀렸다

이제는 생각이 바뀌었다. 좋은 사람이 생기면 결혼하겠다. 그렇게 친구들에게 이야기했다. 돌아온 답변들은 예상 밖이었다. 여자도 그렇고 남자도 그랬다. 좋은 변화라고 보는 사람은 없었다. 남자든 여자든 '결혼은 무조건 내 손해'라고 여기는 게 요즘 추세인 건 알고 있었다. 그렇다고 이렇게까지 격렬하게 반대할 줄은 몰랐다.

표정들을 읽어보았다. 흡사 독립선언문을 낭독하는 미국 건국의 아버지들 같은 눈빛을 보고 하려던 말을 그냥 삼켰다. 긴 머리의 여자 벤자민 프랭클린이 한마디 덧붙였다. "우리 병원에 오는 우울증 환자들 가운데 기혼자들의 9할은 배우자 때문에 우울하다." 나는 멀쩡하게 결혼해서 훌쩍 커버린 아이들과 함께 대체로 행복하게 살고 있는 것만 같았던 이들이 대체 왜 이런가 싶었고, 특히 벤자민 프랭클린이 자기 이야기 대신 환자들의 사정을 예시로 든 이유가 궁금했지만 캐묻지 않기로 했다. 너무 슬퍼 보였기 때문이다. 대신 마음

속 깊이 물음표를 남겨두었다. 아닌 게 아니라 이날의 대화
는 두어 달이 지난 지금도 여전히 지워지지 않고 있다.

살면서 혼자라서 문제였던 적은 딱히 없었다. 아니, 보다 정
확히 말하자면 혼자라는 사실을 잊지 않으려고 노력하며 살
았다.

영원히 잊지 못할 스무 살의 그날 이후 늘 그랬다. 나라는
사람의 정체성은 그날 만들어졌다. 서울에서 혼자 대학교에
다니면서 하루 세 개의 아르바이트를 하는 게 너무 고되었
다. 방학이 되면 스키를 타러 가는 친구들을 보면서 가정을
책임지지 못한 건 부모의 사정인데 왜 내가 등록금부터 집
세며 생활비 모두를 혼자 다 감당해야 하는지 알 수 없었다.
술만 마시면 고시원 바닥을 뒹굴면서 애꿎은 바닥을 주먹으
로 내리쳤다. 도무지 분노를 주체할 방법이 없었다.

자존심을 이기고 술기운을 빌어 아버지에게 전화를 걸었다.
아버지가 교수로 재직 중인 학교에서 자녀의 등록금이 지원

된다는 사실을, 나는 쓸데없이 잘 알고 있었다. 같이 살지 않은 지 오래되었다지만, 그래도 장남이 아니던가. 덥고 습한 여름밤, 하나로마트 앞이었다.

영겁과 같은 통화 연결음이 지나가고 아버지의 목소리가 들려왔다. 나는 주절주절 사정을 빌고 거기에 더해 반드시 갚겠다며 못 지킬 약속을 산더미처럼 쏟아냈다. 강철 은행의 대출 심사관도 눈물을 흘리며 다 들고 가지도 못할 만큼의 황금을 안겨주었을 최후 진술이 끝났다. 하지만 돌아온 대답은 명료했다. "등록금을 줄 수 없다"고 읽고 '네게 돈을 주고 싶지 않다'로 알아먹어야 할 말을 아버지에게 듣고 난 뒤 고시원 방으로 돌아와 기절해 잠들었다. 다음 날 새벽에 일어나 맹세했다. 나는 혼자다. 도와줄 사람이 없다. 나는 부모도 없고 친척도 없고 선배도 없다. 혼자서 해내지 못하면 그냥 끝이다. 우습게 보여도 그냥 끝이다. 내게 두 번째 기회 같은 건 없다.

이후로는 별문제 없이 잘 살았다. 어느 이름 모를 학부 선배가 고기를 산다는 소문이 돌면 반드시 찾아가 구석에 앉아 당대의 히트 상품인 대패 삼겹살을 미친 듯이 먹고 "쟤 누구냐"라는 말이 들려오기 전에 자리를 떴다. 고시원 밥통에는 화수분처럼 늘 쌀밥이 솟아나기 마련이니 옆방 아저씨가 내어놓은 짜장면 그릇에 밥을 말아 곧잘 비벼 먹었다. 아저씨도 이름 모를 선배도 잠잠하면 편의점에서 천 원에 열 개들이 치즈 빵을 사 먹었다. 아르바이트 월급을 떼이면 아무짝에도 도움이 안 되는 노동청 임금체불 담당자 대신 지옥 끝까지 추적해 쫓아가 돈을 받아냈다.

써놓고 보니 궁상맞지만, 요는 더 이상 아무것도 창피할 게 없다는 거다. 모든 게 생존의 문제였다. 나는 혼자고, 도와줄 사람이 없다. 그러니까 혼자서 살아남을 수 있는 몸을 만들자. 그리고 그렇게 되었다. 4학년 때 취업한 이후로 여태껏 혼자 힘으로 몸을 굴려 밥을 벌어먹는다는 것이 얼마나 즐겁고 달콤하며 떳떳한 노릇인지 하루도 잊어본 적이 없다.

거기까지는 좋았다. 문제는 연애였다. 몇 번의 시행착오 끝에, 나는 내가 누군가를 몹시 좋아하면 속수무책으로 믿고 지나치게 의지해버린다는 사실을 힘겹게 깨달았다. 내심 혼자 힘으로 늘 온전해야 한다는 사실을 연애를 통해 이기고 싶었던 모양이다. 그렇게 되면 헤어질 때 너무 고되다. 흡사 아버지에게 "등록금을 줄 수 없다"는 말을 24시간 동안 듣고 있는 것 같은 심정이 된다.

그들 탓은 아니었다. 헤어질 때는 그렇게 생각하지 않았지만, 엄정하게 돌아보면 대개 훌륭한 사람들이었다. 언제든지 더 이상 의지할 수 없고 더 이상 믿을 수도 없는 상태가 될 수 있다는 사실을 매번 잊어버린 내 잘못이었다. 혼자서 살아남을 수 있는 몸을 만드는 데 실패한 거다. 비싼 수업료를 치르고 난 뒤 나는 너무 믿지 않고, 너무 기대하지 않았다. 물론 한두 번 다짐을 까먹고 다시 주저앉는 일도 있었다. 하지만 별 무리 없이 살아갈 수 있었다. 최소한 겉보기에는 그랬다.

삼십 대 후반의 어느 날 나는 연애를 더 이상 하지 말아야겠다는 생각을 하게 되었다. 혼자서 살아남을 수 있는 몸을 유지하기 위해, 상처받지 않을 수 있는 연애를 하기 위해 나와 너 사이의 거리를 너무 벌려놓았다. 끊임없이 상대에게 상처를 주고 있다는 사실을 깨달았기 때문이다. 너무 믿지 않고, 너무 기대하지 않으면서 누군가를 사랑할 수 있다는 건 그럴싸한 말장난이다. 그걸 대체 연애라고 부를 수 있는지조차 모르겠다. 지난 몇 년간의 연애가 공허하게만 느껴졌다. 완벽한 실패였다.

사람과 사람 사이에는 적정한 거리감이라는 게 필요하다. 누군가에게는 열 보가 필요하고 누군가에게는 반보가 필요하다. 그보다 더하거나 덜하면 둘 사이를 잇고 있는 다리가 붕괴된다. 인간관계란 그 거리감을 셈하는 일이다.

이 거리감에 대해 생각하면 나는 늘 전자기력을 떠올린다. 세상에는 인력과 강력, 약력 그리고 전자기력 이렇게 네 가지 힘이 존재한다. 그 가운데 내 손이 키보드를 그냥 통과하지 않고 누를 수 있는 건 전자기력 때문이다. 전자기력은

'나'를 '나'라는 형태로 존재할 수 있게 만든다. 이를테면 고슴도치의 가시 길이나 〈에반게리온〉의 'AT 필드'처럼 내가 나라는 형태를 유지할 수 있는 최소한의 거리인 것이다. 너무 외롭다고 해서 아예 걷어버리면 나라는 형태가 허물어진다. 반대로 타인이 너무 두려워 보호막으로 두텁게 에워싸면 속절없이 너무 멀어져버린다. 요컨대 타인과의 거리라는 것은 바로 나의 보호막과 너의 보호막의 두께를 어림잡아 더하는 일이다.

삶에 있어 큰 사고라고 할 만한 최근의 일을 통과하면서, 나는 나의 가시와 보호막이 터무니없이 길고 두터웠다는 사실을 깨달았다. 그 길이와 두께는 혼자서 살아남기 위해 반드시 그래야만 한다는 강박으로 오랫동안 비대해져왔다. 그래서는 애초 타인과의 정확한 거리를 셈하는 게 무의미하다. 어떻게 해도 서로의 말이 닿기에는 너무 멀기 때문이다. 나의 셈은 틀렸다.

좋은 사람을 만나면 결혼해야겠다는 말을 듣고 실망한 친구들의 셈도, 나는 조금씩 어긋나 있다고 생각한다. 인간관계가 어려운 것은 나와 너의 거리감이라는 게 고정되어 있지 않다는 데 있다. 이 친구들은 단지 '때가 되어서' 결혼을 한 어리석은 사람들이 아니다. 이유와 확신을 가지고 결혼한 사람들이다. 그런데 처음 만났을 때 완벽해 보였던 셈이 이제 와서는 틀어져버린 것이다. 사람 사이의 거리감을 매번 셈하는 건 고된 일이다. 그리고 우리는 익숙하고 편한 관계가 되었다고 생각하고 나면, 고된 셈 따위에는 흥미를 잃어버리기 마련이다.

혼자서 살아남기 위한 몸을 만드는 일을 포기한 건 아니다. 아마 남은 평생 그럴 일은 없을 거다. 다만 애초 왜 그런 맹세를 했는지 질문을 다시 해보았을 뿐이다. 그건 버티기 위해서다. 끝까지 버틸 수 있는 사람이 되기 위해 혼자서 살아남기 위한 몸을 만들어야 했다. 당시의 내 상황에선 맞는 셈이었다. 하지만 지금은 버틴다는 것이 혼자서 영영 해낼 수 있는 것이 아니라는 걸 안다. 당신 옆에 있는 그 사람은 조금도 당연하지 않다. 우리는 모두 동지가 필요하다.

영화 〈애드 아스트라〉에서 배우 브래드 피트는 태양계 경계까지 도달하고 나서야 절대적인 고독 앞에 혼자보다는 더불어 살아가는 것이 비할 수 없이 가치 있다는 걸 깨닫고 지구로 귀환한다. 어떤 이들은 그렇게 간단한 걸 우주 끝까지 가서야 알 수 있냐며 조소한다. 하지만 머리가 아닌 몸으로 무언가를 깨닫는 데는 늘 큰 비용이 든다. 무려 암에 걸리고서야 그걸 알았냐고. 그러게 말이다.

미시마 유키오와

다자이 오사무의 전쟁

"태어나서 죄송합니다."

그렇게 쓰고 다자이 오사무는 죽었다. 애인과의 동반 자살
이었다. 시신은 그의 서른아홉 번째 생일에 발견되었다. 평
생에 걸쳐 네 번의 자살 기도를 했다. 다섯 번째는 실패하지
않았다. 그 가운데 세 번은 애인과 동반한 자살 기도였다. 두
번째에는 애인만 죽고 다자이는 살아남았다.

그런 점에서 나는 다자이 오사무를 한심하게 생각했다. 언
젠가 여자친구에게 그에 대해 심하게 말했던 기억이 난다.
죽는 것조차 혼자 할 수 없어서 다른 사람의 생명까지 앗아
간, 심약하고 어리석은 사람이라는 내용이었다. 실은 그녀가
언제나 끼고 있었던 『인간 실격』에 질투를 느껴 실제보다 조
금 더 부풀려 심한 말을 한 것이었다. 다자이 오사무를 언급
하게 될 때면 늘 그 일을 떠올리며 미안한 마음을 가지게 된
다. 살아 있는 자가 죽음을 평가하는 건 거만한 일이라고 생

고
싶
다
는

농
담

각한다. 죽음의 내막에 관해 알 수 있는 건 죽은 사람뿐이다.

"다자이 오사무는 성격적인 결함 때문에 자살한 것이다. 그런 결함들은 냉수 목욕이나 기계체조와 같은 규칙적인 생활과 운동만으로 충분히 치유될 수 있는 것이다."

그렇게 말하고 미시마 유키오는 훗날 자살했다. 할복자살이었다. 우익 정치 활동에 적극적으로 참여했던 그는 방패회라는 무장투쟁 조직을 결성했다. 천황의 완전무결한 숭고함을 물질문명과 공산주의로부터 보호하기 위해서는 무장투쟁이 필수적이라고 주장했다.

그는 방패회 조직원들과 함께 '우수 자위대원 표창'을 명목으로 자위대 동부 총감과 면담하던 중 일본도를 꺼내 들어 위협하며 인질극을 벌였다. 그리고 총감의 방 발코니에서 천황을 지키기 위해 자위대가 당장 분연히 일어나 쿠데타를 실행해야 한다는 연설을 했다. 연설은 주변 소음 때문에 거의 들리지도 않았고 자위대원들은 심드렁하게 반응했다. 이

자리에서 미시마 유키오는 계획한 대로 방패회 멤버와 함께 할복자살했다. 극심한 고통 때문에 할복의 과정은 순탄치 않았다.

명민하기 이를 데 없고 천재성으로는 따를 자가 없었던 소설가 미시마 유키오의 괴상한 자살은 세계적인 가십이 되었다. 그는 소설 『우국』에서 천황을 위해 목숨을 희생하는 할복을 아름답기 짝이 없게 묘사한 바 있었고 자신의 할복 또한 그럴 것이라 예상했으나 현실의 그것은 소란스럽고 끔찍한 난장 이상 이하도 아니었다.

다자이 오사무는 자기 안으로 후퇴하고 침식되다 죽음을 선택했다. 미시마 유키오는 대의에 매료되어 뜬구름 잡는 뜨거움을 주장하다가 허황된 죽음을 선택했다.

누군가는 다자이 오사무와 미시마 유키오를 서로 완전히 상반된 두 개의 이미지로 비교한다. 그러나 나는 저 둘이 서로 완전한 닮은꼴이었다는 생각을 자주 한다. 한 사람은 자기 존재가 버거워 그것을 감싸 안으며 안으로 끝없이 파고들어 갔다. 다른 하나 역시 자신을 버거워했으나 안으로 파고드는 대신 천황과 일본의 무장을 핑계로 '극기'와 '남자다움' 따위에 한없이 매료되었다.

미시마 유키오는 저 위의 말 이외에도 다자이 오사무에 대해 다음과 같은 이야기를 남겼다. "나는 우선 이 인간의 얼굴이 마음에 들지 않는다. 이 인간의 촌스러운 하이칼라 취미도 싫다. 마지막으로 이 인간이 자신과 어울리지 않는 모습을 연기하는 것 또한 싫다."

생긴 것도 싫고 취미도 싫고 하고 다니는 것도 싫다니 누군가가 싫다는 걸 표현하기 위해 이보다 더 노골적이기도 쉽지 않을 것이다. 그의 말 자체가 머리를 짜내 싫어하는 이유를 늘어놓아 봤자 결국 무언가를 싫어하는 데에는 이유가 없다는 반증이기도 하다. 아무튼 당대에 인터넷이 없어서 얼마나 다행인지 모르겠다.

나는 미시마 유키오의 태도가 결국 자기혐오에 뿌리를 두고 있다고 생각한다. 저 두 소설가는 나약하다는 점에서 서로 닮은꼴이었다. 우리 모두가 나약한 부분을 가지고 있다. 나약한 부분을 동반자처럼 짊어지고 그것과 친구가 되어 살아가는 사람이 있는가 하면 끝내 인정하지 않고 고약한 위악을 내뿜는 사람도 있다. 미시마 유키오는 후자였다. 그는 그걸 용납하기 어려웠다.

일찍이 미시마 유키오는 감기를 결핵으로 속여 2차 대전에 참전하지 않았다. 초기작 『가면의 고백』은 잠재적인 동성애자에 관한 자전적 이야기다. 실제 그가 자기부정형의 게이였다는 건 공공연한 사실로 여겨진다(그의 애인이라고 주장하는 후쿠시마 지로 또한 소설을 통해 고백한 바 있다).

미시마 유키오는 병역을 부정하게 면제받았던 일과 성적 정체성, 그리고 나약한 신체에 대해 매우 창피하게 생각했다. 피트니스 운동과 우익 활동에 병적으로 집착했던 맥락을 여기서 찾아볼 수 있다. 그가 운동으로 다져진 몸으로 일본도를 들고 우익 머리띠를 두른 채 찍은 화보를 보고 있으면, 그 래서 조금 슬퍼진다. 그는 자신이 했던 말 그대로 "자신과 어울리지 않는 모습을 연기"하고 있다. 거의 벌거벗고 있지만 역설적으로 거기에 실제 그 자신은 좀처럼 보이지 않는다.

다자이에게서 지우고 싶은 본래의 자신을 발견할 때마다 미시마는 몸서리를 쳤다. 사람은 상대방에게서 나를 발견했을 때 더욱 격렬하게 반응하기 마련이다. 흔히 말하듯이, 그림자는 그것을 부정할수록 더욱더 커진다. 미시마는 스스로를 부정하고 육체적인 단련을 통해 극기에 탐닉했다. 또한 천황을 향한 무사도에 투신하는 자신이야말로 진짜 자신이라고 믿었다. 그렇게 극단으로 달음박질하다가 끝내 붕괴하고 말았던 것이다.

다자이 오사무와 미시마 유키오는 거의 동일한 인격체가 서로 완전히 양극단의 삶을 선택함으로써 도달한 결과물처럼 보인다. 그리고 그 끝은 똑같은 자살이었다.

이처럼 극단으로 치닫는 경우는 드물지만 어찌 됐든 우리 모두는 어떤 면에서 다자이이기도, 또한 미시마이기도 하다. 우리는 본래의 타고난 부분에 순응해 살아가고, 가끔씩은 그것을 높은 차원으로 승화시켜 놀라운 성취를 거두기도 한다. 한편 정말 마주하고 싶지 않은 자신의 본성이나 실수 앞에서 인정하고 싶지 않은 마음에 현실을 뒤틀어 재구성해버리기도 한다. 어떤 이들은 이러한 왜곡과 거짓, 고통과 외면의 기억 또한 잘 정돈된 예술의 토대 위에 쌓아 올리는 데 성공한다.

내 안에 다자이와 미시마의 비율이 어느 정도일지 가늠해본 일이 있다. 아무래도 미시마 쪽이 더 많은 것 같았다. 나이를 먹을수록 저 두 가지 사이에서 근사한 비율을 찾아보려고 노력했지만, 사실 그게 세월에서 얻어지는 한줌의 지혜와는 별반 관계가 없다는 걸 깨달았다. 오늘도 나는 나와 다투고, 또다시 친구가 되기를 반복한다. 지치는 노릇이지만 생을 마감할 때까지 계속될 일이다. 다른 사람들도 그럴 것이라 생각하면 거리 위를 바쁘게 돌아다니는 사람들의 모습이

슬퍼 보인다. 예민함은 더 많은 것에 공감할 수 있게 만들어 주지만 꼭 그만큼 공연한 슬픔을 안겨주기도 한다.

"나는 다자이와는 더욱더 반대되는 방향으로 가려고 했습니다. 그건 아마도 내 안의 어딘가에 다자이와 같은 부분이 있기 때문이라고 생각합니다. 그러니까 더욱 분발해서 그와는 반대되는 방향으로 가려고 하는 것이겠지요." 미시마 유키오의 고백이다.

나는 이 고백이 굉장하다고 생각해왔다. 니체는 심연을 들여다보면 심연도 나를 들여다본다고 말했다. 그렇다면 오랫동안 어둠 안에 머물며 심연과 눈을 마주치고 있었던 사람은 마침내 심연의 눈 안에 비친 자신의 벌거벗은 모습을 확인할 수 있지 않을까. 미시마 유키오는 어느 순간 그것을 보았던 것이다. 운이 좋다면 언젠가 나도 그걸 볼 수 있을지 모르겠다.

오늘도 나는 나와 다투고,
또다시 친구가 되기를 반복한다.
지치는 노릇이지만
생을 마감할 때까지 계속될 일이다.

선한 자들이

거짓말을 할 때

나는 천주교 집안에서 태어났다. 대개 모태 신앙이라고 한다. 십자가와 묵주와 코란과 염주를 두고 돌잡이를 한 기억은 없다. 누군가 내게 "아가야 너는 불가지론이나 범신론에 대해 궁금해할 필요는 없어. 설마 빌어먹을 유물론자가 될 생각은 아니겠지?"라고 물어본 기억도 없다. 선택의 여지가 없이 태어나면서부터 특정한 종교가 결정된다는 건 아무래도 괴상한 노릇이다.

교리 공부에 꽤 재능을 보였던 것 같다. 성서와 성인들의 삶을 다룬 책들을 어렸을 때부터 읽은 게 도움이 되었다. 갖가지 역병과 질투와 복수, 그리고 대홍수와 같은 리셋 버튼으로 가득한 구약보다는 각성과 재생을 다룬 신약 쪽이 마음에 들었다. 수많은 영웅 서사시에 고전적 뼈대를 제공한 신약은 그 방면으로는 일종의 레퍼런스와도 같았다. 그 뼈대가 훨씬 더 오래된 다른 고전들로부터 왔다는 이야기는 꺼내지도 말아라. 그런 이야기를 하려는 게 아니다.

성당에 관련한 기억은 모두 좋았다. 여름 캠프도 좋았고 내가 흠모했던 단발머리 친구도 좋았다. 시편 외우기 대회에서 우승한 것도 좋았고 교리반별로 신문을 제작했는데 남들이 사순절 주간에 대해 쓰는 동안 나 혼자 5공 청문회에 관해 썼다가 어른들로부터 굉장히 어색한 시선을 받았던 것도 좋았다. 교리 공부하러 지하에 내려갈 때마다 어김없이 코끝을 간지럽히던 장미 향기도 좋았다. 미사 중에 내 손등에서 별안간 딱지가 떨어져 피가 나자 수녀님이 달려와 성흔 아니냐며 흥분했던 기억도 좋았다.

하지만 어찌 됐든, 그건 내가 선택한 종교가 아니었다. 처음부터 강요되었던 것이다. 미성년자 딱지를 떼자마자 내 머릿속에는 수염이 훨씬 더 수북하고 성이 네 글자인 유대인 마귀가 들어와 예수님을 쫓아내고 말았다. 문제의 붉은 마귀를 불지옥으로 쫓아낸 이후에도 나는 꽤 오랫동안 유물론자로 살았다. 『순전한 기독교』를 읽으면서도 C. S. 루이스의 변증법에 동의하기보다는 글에서 드러나는 저자의 됨됨이에 감복하는 식이었다. 이야기가 나와서 말인데, 기독교 내

다른 분파를 멸시하는 일부 개신교인이 『순전한 기독교』를 주변에 추천하면서 저자가 영국 성공회라는 사실을 간과하는 건 해괴한 일이다.

그러면서 다양한 종교들에 관심을 가졌다. 종교들이 보여주는 이야기 속 상징체계에 마음을 빼앗겼다. 기독교의 공의회나 불교의 결집처럼 말씀을 종합하는 역사적 사건에서는 다음 세대를 위해 삶의 지혜를 전승해내고자 하는 어른스러움이 느껴졌다. 별처럼 숱하게 많은 종교 가운데 네 이웃과 공동체를 해하라고 가르치는 말씀은 전무하다는 데 무엇보다 감동했다. 종교는 인간의 선의를 끌어냄으로써 공동체가 선순환하는 데 기여한다. 종교가 인민의 아편이라니 도대체 이 붉은 마귀를.

하지만 글쓰기를 업으로 삼아 살아가면서 반복해서 일부 거대 교회와 마찰을 빚는 일이 생겼다. 고소 고발을 겪었다. 대부분 기소 근처에도 가지 않았다. 애초 사건이 성립하지 않기 때문이다. 다만 정보통신망법에 의거해 웹에 올라간 기사를 블라인드 처리하는 경우는 있었다. 속이 상했다. 당시 내가 글을 쓸 때 가장 많이 인용했던 구절은 "네가 이 큰 건물을 보느냐, 돌 하나도 돌 위에 남지 않고 다 무너지리라"는 마가복음 13장 2절의 말씀이었다. 예루살렘에 입성했을 때 거대 교회의 위용에 압도되어 그 안에서 벌어지는 제사장과 서기관들의 비리를 간파하지 못하는 제자들을 꾸짖으면서 예수님께서 하신 말씀이다.

나는 이제 더 이상 그렇게 뜨겁게 살지 않는다. 그런 생각을 갖게 된 건 오래되었고, 실제 그렇게 살게 된 것은 1년 정도 되었다. 병상에서 여러 번 생각했다. 뜨거움은 삶을 소란스럽게 만들 뿐 정작 단 한 번도 채워주지 못했다. 그렇게 한 번 살아봤으니, 더 살 수 있게 된다면 전혀 다르게 살아보자는 생각을 했다. 그리고 운이 좋았다.

나는 남을 평가하는 일을 그만두었다. 평가받는 일이 얼마나 고되고 영혼을 파괴하는지 알고 있기 때문이다. 세상에 관해 이야기하는 일도 그만두었다. 최근 몇 년 사이 사안에 대해 함께 고민하는 독자보다 그래서 너는 누구 편이냐고 묻거나 마음대로 단정 짓는 사람들이 훨씬 더 많아졌다. 더 이상 삶을 소음으로 채우고 싶지 않다, 그렇다면 내가 정말 바꿀 수 있는 작은 걸 떠올려보자는 생각이었다. 이제 나는 다음 책을 비롯한 사사로운 작업들과, 가난한 청년들이 나와 같은 이십 대를 보내지 않도록 만드는 일에만 집중한다. 다른 일에는 큰 관심이 없다.

그런데 최근 작은 소란이 있었다. 다음과 같은 기도문을 써 올렸다. "공동체에 당장 치명적인 위해를 끼칠 가능성이 있음에도 불구하고 신의 이름을 팔아 자유만을 고집스레 주장하는 교회가 있습니다. 신이시여 이들을 용서하소서. 지역사회를 위험에 빠뜨리면서까지 대규모 예배를 강행하겠다는 교회도 있습니다. 신이시여 그들도 용서하소서. 수많은 이들의 노력과 희생으로 말미암아 마침내 이 역병을 물리치고 위기를 극복하는 날, 저들이 자기 기도가 응답을 받은 것이라며 기뻐하지 않게 하소서. 그들은 그들이 하는 일이 무엇인지 모릅니다. 저들에게 염치를, 우리 지역과 국가 나아가 전 세계 공동체에 평화를 주소서."

일부 개신교분들께서 불쾌감을 드러냈다. 아마 비꼰 것이라고 생각한 모양이다. 하지만 정말 아니었다. 나는 진심이었다. 신천지의 몰염치에 관해선 더 말할 필요도 없다. 이웃을 사랑하고 내 몸처럼 보살피라고 말씀하셨던 예수님께서, 두 사람이나 세 사람이라도 내 이름으로 모인 곳에는 나도 함께 있다고 말씀하신 예수님께서 고작 주말 예배를 어디에서 하느냐는 문제 때문에 이웃의 생명을 위험에 빠뜨리는 일을 달가워하실 리 없지 않은가.

나는 전염병의 지역사회 전파라는 위험을 무릅쓰고 목록을 감추거나 대규모 예배를 강행하겠다는 이들의 선의에 대해 이해하고 싶었다. 그리고 마침내 이해할 수 있었다. 그 선의를 이해했기 때문에 신에게 용서를 대신 구한 것이다. 신자가 아니라는 자격을 꾸짖는다면 받아들일 수 있다. 다만 내용에 관해서는 몇 가지 이야기를 더 하고 싶다. 더 큰 선의가 있다고 믿는 사람들이 어떻게 아무런 양심의 가책 없이 잘못된 행동을 저지르는지에 관해서다.

댄 애리얼리는 근래 가장 바쁜 행동경제학자일 것이다. 다큐든 책이든 그를 자주 보게 된다. 그가 최근 흥미로운 실험을 했다. 주사위 실험이다. 두 개의 주사위를 피실험자에게 제공한다. 그걸 던져서 나온 두 개의 숫자를 더한 뒤 혼자만 알고 있으라고 말한다. 실험이 끝난 뒤 피실험자가 말하는 숫자에 맞게 현금을 쥐여준다. 1+1부터 6+6까지 말이다. 물론 피실험자들이 진실을 말했는지 여부를 검증할 방법은 없다.

두 번째 실험은 같은 실험을 거짓말 탐지기를 두고 한다. 피실험자가 거짓말을 하면 기계가 반응한다. 단, 조건이 붙는다. 이 실험으로 생기는 모든 수익은 전부 피실험자가 선택한 단체에 본인의 이름으로 기부된다는 내용이다. 결과는 어땠을까. 먼저 수행한 실험의 평균값에 비해 '운이 좋은' 사람들의 비율이 거의 폭발적으로 급등했다. 대부분의 사람들이 6+6이라고 대답한 것이다. 가장 놀라운 점은 이 '운이 좋은' 사람들이 거짓말 탐지기에도 반응하지 않았다는 사실이다.

앞선 실험의 결과를 빌리지 않더라도 우리는 알고 있다. 공동의 선이나 대의를 실현하는 길이라고 판단했을 때 우리는 쉽게 거짓말을 할 수 있다. 나아가 심지어 거짓말이 아니라고 인식한다. 나 자신의 이익을 위한 거짓만이 오직 거짓이라 생각하기 때문이다.

선한 마음으로부터 악한 행동이 나올 수 있는가. 그렇다. '공동의 선이나 대의'라는 것은 어느 언덕에서 바라보느냐에 따라 그 의미가 완전히 달라진다. 역사 속 각기 다른 신의 이름으로 자행되었던 가장 나쁜 일들과 애국 애족의 이름으로 촉발되었던 크고 작은 전쟁은 대개 이런 과정을 통해 이루어졌다. 네 이웃과 공동체를 해롭게 하라 가르치는 종교는 존재하지 않는다. 선의를 이해하되, 우리는 그 선의가 이끌 수도 있는 잘못된 결과에 대해서도 늘 주의를 기울여야만 한다. 말씀을 따르는 삶이란 그렇게 어렵다.

내 주변 사람들은 한두 번씩 들어봤을, 마음이 어지러울 때마다 떠올리는 말씀이 있다. 사실 나는 바오로를 탐닉하되 좋아하지 않는다. 사울에서 바울이 되는 격정의 삶은 전향자들이 쉽게 과격한 근본주의자가 되는 과정과 닮아 있기 때문이다. 하지만 고린도전서 13장 11절부터 13절까지의 말씀, 특히 12절의 이야기는 매번 가슴을 친다.

"우리가 지금은 거울로 보는 것 같이 희미하나 그때에는 얼굴과 얼굴을 대하여 볼 것이요 지금은 내가 부분적으로 아나 그때에는 주께서 나를 아신 것 같이 내가 온전히 알리라." 뿌옇게 서리가 낀 것처럼 투명하지 않고 확고한 단 하나의 진실을 기대할 수 없는 삶이지만 언젠가는 모든 게 명확하게 드러나는 날이 반드시 온다는, 내게는 천금과도 같은 약속이었다. 가장 힘들 때마다 저 말은 나를 구했다.

당신이 나처럼 종교가 없든, 혹은 비기독교인이든 관계없이 저 12절의 말씀으로부터 바로 이어지는 문장을 함께 나누면서 이 글을 마치고 싶다. 그런즉 믿음, 소망, 사랑, 이 세 가지는 항상 있을 것인데 그중의 제일은 사랑입니다.

우리는 언제나

우리끼리 싸운다

오래전 일이다. 당시 업무 때문에 옛 용산구청 앞을 자주 지나야 했다. 구청에는 "세입자가 구청에 와서 떼를 써도 소용없습니다"라는 현수막이 붙어 있었다. 떼를 써도, 라는 글자에 한동안 시선이 머물렀던 기억이 난다. 떼를 써도, 라는 말의 행간에 묻어나는 짜증과 혐오, 눈앞에서 빨리 치워버리고 싶다는 마음, 공무원이 시민에게 그렇게 당당히 말하고 글로 써 붙이는 게 가능한 시대정신. 그것은 아마도 용산 참사의 전조였을 것이다.

현대 자본주의사회는 복잡하다. 이익과 이익이 충돌하기 마련이다. 그래서 조정과 협의가 요구된다. 하물며 공권력이 개입될 때에는 더 많은 절차와 조정의 과정이 따른다. 최소한 원칙은 그렇다.

용산 4구역 철거민들이 주거 생존권을 요구하며 남일당 건물 위에 망루를 설치한 건 '용산 참사'라는 말로 기록된 사건 전날이었다. 하루 만에 강경 진압이 실행되었다. 신속하고 과격한 진압이었다. 어떤 대화도 협상도 없었다. 공권력의 전능함을 과시하기 위해서였다. 물대포가 쏟아졌고 화재가 발생했다. 철거민 다섯 명과 경찰 한 명이 사망했다. 이후 한국 사회는 이 사건을 두고 한동안 들썩이며 민낯을 드러냈다.

연분홍치마가 용산 참사를 다룬 두 번째 다큐를 완성했다고 했을 때 별 기대를 걸지 않았다. 이미 전작 〈두 개의 문〉이 충분히 훌륭했고 후일담으로는 그만한 사유의 파고를 이끌어내는 게 쉽지 않을 것이라고 생각했기 때문이다.

용산 참사를 다룬 다큐 〈공동정범〉의 첫 장면은 기묘하다. 분명히 선명하게 기억하고 있는 줄 알았다. 그런데 머릿속에서 각색이 되어 있었던 모양이다. 사람이 사람에게 정당한 절차 없이 그렇게까지 할 리 없다고 애써 우기고 싶은 마음 탓일지 모르겠다. 그러나 그런 일은 자주 일어났다. 건물의 옥상. 당장 허물어질 듯 조악한 망루. 거기에 퍼부어지는 물대포. 우리는 알고 있다. 그 안에 사람이 있었다.

〈공동정범〉은 눈부신 다큐다. 이토록 취재원의 시선 깊숙이 동반하면서도 동시에 객관성과 보편성을 성취해내는 다큐는 드물다. 〈공동정범〉은 〈두 개의 문〉과 같은 소재로부터 출발하되 전혀 다른 방식으로 사건 이후를 아우르면서 용산 참사라는 공공의 트라우마는 물론, 우리의 크고 작은 개인사들을 관통하는 질문에 이르기까지 관객을 인도해낸다. 이런 보편성이야말로 〈공동정범〉을 빛나게 만드는 정수다.

〈두 개의 문〉 개봉 즈음에 썼던 기고 글에서 다음과 같이 썼다. "어떤 사람들에게 이 영화는 필요 이상으로 차가울 것이다. 또 어떤 사람들에게 이 영화는 여전히 선동적일 수 있다. 그러나 누구도 부인할 수 없는 건 〈두 개의 문〉이 2009년 1월 20일 용산 남일당에서 벌어진 사건을 다루는 데 있어서, 자기 입장을 최대한 감추는 대신 객관적 사실들을 종합하고 조립해내기 위해 분투하고 있다는 사실이다. 〈두 개의 문〉이 사건을 다루는 태도는 오히려 진압경찰의 진술과 채증 동영

상, 재판 기록과 같은 공적 자료를 잘 조립해내는 것만으로
도 이미 확연하게 그날 실제 무슨 일이 왜 벌어졌는지 드러
내 보일 수 있다는 자신감으로 읽힌다."

〈두 개의 문〉이 진압경찰의 증언과 사실관계를 증명하는 것
으로 사건을 재구성했다면, 〈공동정범〉은 〈두 개의 문〉이 미
처 다루지 못했던 철거민(영화가 만들어질 당시 수감되어 있었
다)의 이야기를 다룬다. 공동정범이라는 말로 묶인 이들의
삶은 각기 다른 방식으로 망가져 있다. 공동정범은 하나의
범죄를 각자가 분담하여 이행하였지만 각자가 전체에 대해
형사책임을 진다는, 즉 기소된 내용에 관해 모두가 같은 처
벌을 받았다는 의미다.

〈공동정범〉은 구속 철거민 다섯 명의 출소 이후 삶을 좇는
다. 지난 일을 내심 수습해내고 있는 듯 보이지만 그렇지 않
다. 당시 상황을 설명할 때마다 과거 시제가 아닌 현재형으
로 서술한다. 이들의 삶이 여전히 2009년 1월 20일의 망루
안에 갇혀 있다는 사실은 그리 어렵지 않게 드러난다.

이들은 몸이 망가지거나 마음이 무너졌다. 분을 못 이겨 성격이 바뀌었다. 누구 할 것 없이 원망할 대상을 찾는다. 가장 주목할 만한 부분은, 이들이 공동정범으로 묶인 서로를 원망하고 있다는 사실이다.

용산 철거민과 타 지역 연대 철거민으로 나뉘어 원망한다. 우리는 도우러 간 사람들인데 왜 같은 처벌을 받아야 했는지 원망한다. 너희는 이해 당사자가 아닌 그저 도우러 온 사람들인데 왜 더 억울해하냐며 원망한다. 너희들보다 내가 훨씬 더 아프고 괴로웠다는 이유로 원망한다. 피해 당사자들끼리 모여서 함께 다독이며 살았어야 했는데 우리 가운데 그렇게 하지 못하게 만드는 사람이 있어서 이토록 서로 보지 못하고 살았다며 원망한다. 명확한 목표 없이 그저 모여서 지나간 상처 이야기만 하는 건 아무 의미가 없으니까 모이지 말자고 한 거라며 원망한다. 우리 가운데 누군가는 이 사건으로 인해 더 많이 조명되고 더 많은 도움을 받았다며 원망한다. 나는 더 많이 조명되고 더 많은 도움을 받았기 때문에 그만큼 더 많은 책임을 지어야 했다며 원망한다. 이들

용산 참사 철거민 공동체는 완전히, 붕괴되어 있다.

〈공동정범〉은 이들이 여러 차례 모여 서로의 불신을 드러내고 반목하는 광경을 거르는 것 없이 그대로 담아낸다. 사법 당국이 불공정하다고 보여질 만한 이유가 충분했던 재판 과정을 거쳐 이들을 '공동정범'으로 묶어버렸을 때 비극의 씨앗이 잉태되었다. 이들의 다툼을 지켜보다가 우리는 지난 시간 매우 여러 번 깨달았지만, 다시 잊어버리기를 여러 번 반복했던 사유에 다다른다.

국가 폭력은 서로 돕는 자들을 불신하게 만드는 방법으로 공동체를 무너뜨린다.

이와 같은 사유는 우리가 일상생활에서 겪고 있는 크고 작은 다툼과 반목, 편 가르기가 애초 어떤 원리를 통해 작동하고 있었는지 상기하게 만든다. 도와야 할 사람들끼리 부지런히 편을 만들고 벽을 쌓아 올리며 서로를 고발하고 조롱하는 가운데 공동의 목적을 두고 형성되었던 공동체는 위기를 맞는다. 비관과 자조, 불신으로 인한 무관심이 역치에 이르게 될 즈음이면 관공서의 벽에 "세입자가 구청에 찾아와 떼를 써도 소용이 없습니다"와 같은 현수막이 붙어도 별다른 문제의식을 느끼지 못하게 된다. 마침내 공동체가 붕괴된다. 해선 안 될 것들이, 해도 무방한 것이 되는 시대는 그렇게 도래한다.

그래서 〈공동정범〉의 후반부는 더욱 눈여겨볼 만하다. 이들의 공동체가 회복되는 과정을 그리고 있기 때문이다. 이들은 용산 참사 진상 규명을 위해 사건 당일의 기억을 서로 교차 검증해보는 기회를 갖는다. 불편한 마음을 뒤로하고 모여서 이야기를 나누던 중, 이들은 객관적 증언과 기록 필름들이 자신들의 파편화된 기억과 많이 다르다는 사실을 알게 된다.

지나간 시간 때문에, 육신의 아픔 때문에, 누구도 해소해주지 않는 억울함 때문에, 피해의식에 짓눌려 객관적인 사고를 할 수 없기 때문에 축소되거나 과장되거나 아예 지워진 기억들. 그 기억들을 교차해서 공유하면서 이들은 객관적인 시점으로 사안을 재구성하는 기회를 갖는다. 나아가 서로를 이해하는 경험을 하게 된다. 말은 쉽다. 하지만 우리가 삶을 살아내가면서 경험했듯이, 서로 마주하고 아픈 걸 들추어 공유하는 일은 결코 쉽지 않다. 서로의 입장에서 생각해보고 나의 경험이 아니라 우리의 경험으로 객관화하여 이해하는 것. 보다 중요한 것이 무엇이었는지 다시 기억해내는 것. 그것이 공동체를 회복하는 시작이었다. 용산 참사의 진실과 시비를 가리기 위한 첫 단추다.

이 시점에서 〈공동정범〉의 시선은 다시 한번 용산 참사 이해 당사자들의 이야기를 넘어 관객 개별의 삶을 침범한다. 우리는 왜 반복적으로 진영 내에 진영을, 조직 내에 조직을, 가정 내에 보이지 않는 벽을 만들어 분열하는가. 그리고 그것은 결과적으로 누구에게 이익이 되는가. 〈공동정범〉이 제기하는 질문의 보편성은 한국 다큐멘터리 영화가 이룩한 가장 빛나는 순간 가운데 하나가 될 것이다.

결국 우리는 우리가 가진 가장 멋지고 빼어난 것들 덕분이 아니라 언제 했는지도 기억하지 못하는 오래된 선행들 때문에 구원받을 것이다.

악마는 당신을 망치기 위해

피해의식을 발명했다

자기 삶이 애틋하지 않은 사람은 없다. 누구나 자신이 오해받는다고 생각한다. 사실이다. 누군가에 관한 평가는 정확한 기준과 기록에 의해 좌우되지 않는다. 평가하는 사람의 기분에 따라 결정된다. 맞다. 정말 불공평하다. 하지만 그게 현실이다. 이와 같은 현실을 두고 누군가는 자신을 향한 평가로부터 스스로를 분리시킨다. 말처럼 쉬운 일은 아니다. 하지만 죽을힘을 다해 그걸 해낸다. 그리고 자신이 할 수 있는 일을 묵묵히 한다. 반면 누군가는 끝내 평가로부터 헤어나지 못하고 자신과 주변을 파괴한다.

리처드 닉슨 이야기를 해보자. 닉슨은 언제나 흥미롭다. 아무런 자산 없이 노력과 좌절 끝에 혼자 힘으로 지구에서 가장 막강한 힘을 가진 국가의 권력 정점까지 이르렀다.

그러나 닉슨은 앞서 말한 두 가지 종류의 사람 가운데 후자쪽이었다. 특유의 피해의식과 적을 대하는 방식 때문에 임기가 계속될수록 괴물이 되어갔다. 그는 자신이 받아 마땅한 사랑과 보상을 빼앗겼으며, 이는 공정하지 않기 때문에 바로잡기 위해서라도 자신에 관련된 가능한 세상의 모든 대화를 녹음하고 복수해야 한다는 강박에 시달렸다. 스캔들을 무마하기 위해 공작과 거짓말을 반복했다. 거짓말을 가리기 위해 더 큰 거짓말을 할 수밖에 없었다. 거짓말이 이어졌다. 결국 임기를 채우지 못하고 사임했다.

닉슨은 미국 대중문화의 유력한 캐릭터 중 하나다. 닉슨을 다소 입체적으로 다룬 올리버 스톤의 〈닉슨〉이나 론 하워드의 〈프로스트 VS 닉슨〉 정도를 제외하면, 영화 속의 그는 언제나 악당이었다. 역사의 평가가 이미 완료되었기 때문이다. 닉슨이 직접 등장하든, 그렇지 않든 간에 수많은 영화들이 그가 남긴 유산의 자장 위에 만들어졌다.

멀게는 워터게이트 사건을 다룬 〈모두가 대통령의 사람들〉부터, 〈대통령을 죽여라〉 〈엑스맨: 데이즈 오브 퓨처 패스트〉 〈엘비스와 대통령〉 〈프로스트 VS 닉슨〉 〈왓치맨〉 〈J. 에드

가) 〈더 포스트〉 〈마크 펠트: 백악관을 무너뜨린 남자〉, 그리고 올리버 스톤의 〈닉슨〉에 이르기까지. 역설적이게도, 닉슨은 할리우드가 가장 사랑한 실존 인물 가운데 하나로 기록될 것이다. 닉슨을 다룬 영화들이 모두 그를 공정하게 다루고 있는 건 아니다. 하지만 그를 여러 방향에서 입체적으로 이해할 수 있게 도와준다. 관심이 있다면 이 가운데 〈J. 에드가〉와 〈더 포스트〉 〈모두가 대통령의 사람들〉 〈마크 펠트: 백악관을 무너뜨린 남자〉, 마지막으로 〈닉슨〉을 순서대로 보길 추천한다.

악마가 닉슨을 망치기 위해 피해의식을 심어줬다고 가정해보자. 그걸 위해 복잡한 계략이 필요하지 않았다. 악마는 단지 닉슨 앞에 케네디라는 인물을 던져놓았을 뿐이다.

닉슨을 논하면서 케네디를 건너뛰는 건 불가능하다. 리처드 닉슨은 언제나 자신이 케네디보다 나은 인간이라고 생각했다. 물론 당대의 평가는 그렇지 않았다. 그는 언젠가 제대로 된 평가가 이루어지리라 믿었다. 그의 생각에 자신은 자수

성가한 제대로 된 인간이었다. 반면 케네디는 금수저를 물고 태어난 반칙왕이었다.

그는 케네디를 증오했다. 케네디는 하버드를 나왔다. 성적은 미달이었으나 훌륭한 가문 덕분에 하버드에 진학할 수 있었다. 돈이 그를 하버드에 보낸 것이다. 닉슨 또한 하버드에 합격했다. 성적이 좋았다. 그러나 가지 못했다. 그는 등록금이 없었다. 가문의 신용이 바닥이라 빌릴 수도 없었다. 돈이 그를 하버드에 갈 수 없게 한 것이다. 입장을 바꿔놓고 생각해보자. 사실 닉슨이 케네디를 두고 피해의식을 품지 않기란 불가능에 가까웠다.

심지어 케네디는 잘생겼다. 사람들이 듣고 싶어 하는 것을 말할 줄 아는 능력도 출중했다. 닉슨은 그런 게 없었다. 그는 딱히 못생긴 게 아님에도 불구하고 케네디에 비해 잘생기지 않았다는 것에 좌절했다.

그래서 TV 토론회를 싫어했다. 토론회 일정이 잡히면 넌덜 머리를 냈다. 땀을 너무 많이 흘렸기 때문이다. 수려한 외모의 케네디가 조목조목 논리적인 이야기를 하는 동안 닉슨은 손수건으로 이마를 닦아내는 데 열중할 뿐이었다. TV로 중계된 토론회 다음 날 누구도 닉슨이 말한 내용에 관해 이야기하지 않았다. 사람들은 오직 케네디의 수려함과 닉슨이 흘린 땀에 관해서만 이야기했다. 이건 닉슨 자신을 위해 좋은 핑곗거리가 되었다. 그는 1960년 대선에서 케네디에게 40만 표 차이로 패배한 것이 단지 TV 토론회와 부녀자들의 몰표 때문이었다고 생각하고는 했다.

자신이 갖지 못했던 것을 케네디는 자기 노력이 아닌 타고난 것들로 이루었다고, 닉슨은 불평했다. 닉슨의 생각에 케네디는 노력 없이 얻은 것들로 사랑받는 사람이었다. 케네디는 부자고, 여자 문제도 복잡하며, 베트남에 대해서도 거짓말을 했다. 베트남 전쟁을 시작한 건 케네디였다고! 이길 수 없는 전쟁을 이길 수 있다고 거짓말한 건 내가 아니라 케네디라고! 닉슨은 억울했다. 자신은 치열하게 노력했고 자신의 손으로 성취했으나 공정하지 않게 미움받는 사람이었다.

선거를 제외하면 정작 그 둘 사이에 별다른 물리적 대결이 있었던 일은 없다. 그러나 닉슨은 평생 케네디와 그 지지자들을 가해자로, 스스로를 피해자로 여겼다. 닉슨은 케네디와 같은 아이비리그 도련님들을 증오했다. 그리고 그런 아이비리그 도련님을 사랑하는 주류 언론을 경멸했다. 일찌감치 《뉴욕 타임스》나 《워싱턴 포스트》와는 선을 그었다. 내 편을 들지 않는 주류 언론은 조작과 음모와 아첨이 난무하는 가상의 악당이었다. 자신은 완전무결한 피해자였다. 순백의 피해자였다.

그는 자신이 피해자이기 때문에 자신이 하는 가장 끔찍한 일마저도 더러운 일이 아닌 단지 다른 결과 맥락을 가진 복잡한 것일 뿐이라고 믿었다. 네가 하는 일과 내가 하는 일의 결과가 똑같이 파멸이라도 너의 일은 악마의 뜻이고 나의 일은 천사의 의지라고 확신했다. 지구라는 행성에서 가장 강력한 국가의 지도자 역할을 수행하고 있음에도 불구하고, 닉슨은 스스로를 그저 오해받는 피해자라고 생각했던 것이다.

그는 끝까지 억울했다. 피해자라는 지위에 더없이 만족하고 자족했다. 요컨대 '나는 피해자니까 옳다'는 것이었다. 그 이유 없는 억울함을 기반으로 어떤 부정을 저지르더라도 '나는 피해자니까 나의 부정은 너희들의 부정과는 달리 국가 안보와 같은 더 큰 선을 위한 것이며 여기에는 매우 선명하게 다른 결이 있다'는 괴상한 자신감을 가졌다. 이와 같은 자신감은 결국, 미합중국 37대 대통령 리처드 닉슨을 망쳤다.

당대를 다룬 모든 기록물 속에서 닉슨에 대한 평가에는 이견이 없다. 이와 같은 평가를 공정하지 않다고 느낄 이유는 없다. 닉슨은 재임 기간 수많은 악행을 저질렀다. 특히 정적에 대한 블랙리스트를 작성한 것은 치명적이었다.

정치 보복에 있어서 리처드 닉슨보다 과감한 자는 없었다. 자신에게 반대하는 정적은 단지 정적이 아니라 슈퍼 빌런이었다. 자신과 같은 진정한 선인이자 자수성가한 피해자에게 반대한다는 건 엄청난 악당일 수밖에 없다는 망상에 사로잡혔던 것이다. 그런 슈퍼 빌런을 부숴버리는 데에는 수단과 방법을 가릴 필요가 없다. 수많은 사실관계 가운데 자신에게 유리한 것만 취사해서 선택하는 방식으로 현실을 뒤틀고 조작했으며 그렇게 조작된 현실을 사실이라고 믿었다.

놀라운 일이었다. '케네디는 베트남에 대해 거짓말을 했다. 나도 베트남에 대해 거짓말을 했다. 하지만 나는 피해자다. 그러므로 나의 거짓말은 케네디의 거짓말과는 달리 미국을 위한 위대한 거짓말이다. 나는 옳다.' 리처드 닉슨 대통령 재임 기간 내내 이런 종류의 인지 부조화는 계속되었다.

나는 옳고 나에 반대하는 모든 이는 그르며, 악당들이 잠시도 쉬지 않고 나를 음해하고 있다고 믿는 자가 대통령이라면, 그런 대통령이 무슨 일을 하겠는가. 그렇다. 닉슨은 도청을 했다. 전화를 도청했다. 자신의 집무실을 도청했다. 가능한 모든 적대적 대상을 도청했다. 이 도청이 결정적으로 닉슨을 쓰러뜨렸다.

스필버그의 〈더 포스트〉를 떠올려보자. 이 영화에서 닉슨은 집무실 안 뒷모습으로만 등장한다. 그러나 모든 대화는 연기가 아니다. 닉슨 스스로가 불법적인 녹음을 통해 역사에 남긴 실제 녹취록이다. 〈더 포스트〉 안에서의 닉슨은 진짜 닉슨인 것이다. 누군가는 자신이 쓴 글을 통해 후대에 인용된다. 누군가는 자신이 출연한 영화 속의 연기를 통해 인용된다. 많은 이들이 평생에 걸쳐 이룩한 가장 훌륭한 업적을 통해 후대에 인용된다. 닉슨은 자신의 명령에 의해 수행된 도청의 녹취록을 통해 인용되고 있다.

닉슨을 가장 눈부시게 연기한 건 안소니 홉킨스라고 생각한다. 올리버 스톤의 영화 가운데 가장 저평가되었다고 생각하는 〈닉슨〉에서 안소니 홉킨스는 셰익스피어 비극의 주인공처럼 닉슨을 연기한다.

국회의 탄핵이 코앞에 닥쳐왔다. 하지만 국회에 의해 탄핵된 최초의 대통령으로 기록될 수는 없다. 절대 그럴 수는 없다. 닉슨은 결국 자발적인 사임을 결정한다. 사임을 발표하기 전날 밤, 닉슨은 비바람이 몰아치는 창밖을 바라보며 백악관을 서성인다. 그리고 마침내 케네디의 초상화 앞에 선다. 옅은 웃음이 닉슨의 입가에 스친다. 그가 패배를 선언하듯 내뱉는다. "사람들은 당신에게서 이상을 보는데, 내게서는 그들 자신을 보는군요."

역사 속의 숱한 성공과 화려한 유산보다 닉슨의 실패와 몰락은 더 강력한 영감을 불러일으킨다. 대부분의 성공에는 운이 따른다. 반면 실패는 악운으로 결정되지 않는다. 실패는 선택에 의해 결정된다. 내가 직면한 실패가 자연스런 결과로서의 실패인지, 혹은 의도에 의한 음모와 배신인지는 사실 중요하지 않다. 벌어진 일은 벌어진 일이다. 중요한 건 다음이다. 나라는 인간의 형태는 눈앞의 문제에 대처하는 방식을 선택하는 순간 결정되는 것이다.

억울하지 않은 사람은 없다. 살다 보면 크고 작은 배신과 실패를 직면하게 될 일이 반드시 생긴다. 이에 대처하기란 쉽지 않다. 비슷한 일이 한두 번 반복되다 보면 평상시에도 자연스레 방어적인 자세를 취하게 된다. 결국 삶을 살아가는 동안 겪게 되는 다양한 양태의 문제들에 있어서 단 한 가지 방식의 대응만을 선택하기에 이른다. 자신이 잘한 일이든 잘못한 일이든 억울한 일이든 그렇지 않은 일이든 관계없다. 그저 무조건 매사에 방어적으로만 대처하게 되는 것이다.

피폐한 마음을 가진 자들의 가장 편안한 안식처는 늘 자조와 비관이기 마련이다. 어느덧 나는 완전무결한 피해자라는 생각 안에 안도하며 머물게 되는 것이다. 그런 자신을 구하기 위한 자력구제의 수단으로 무엇을 선택하든 늘 옳을 수밖에 없다고 생각한다. 인간은 그렇게 타락한다. 니체가 말한 심연이란 바로 이런 것이다.

돌아보면 내 삶도 다르지 않았다. 마찬가지다. 사소한 인간관계부터 사랑하는 사람과의 이별, 업무에 관련된 일에 이르기까지 몇 번이고 그런 구덩이에 반복해서 빠져왔던 것 같다. 도무지 익숙해지지 않았다. 그에 대처하는 가장 빠르고 편한 방법은 비관과 자조, 그리고 남 탓이었다. 억울하고 분하다. 그에 대항할 수 있는 모든 선택은 그게 무엇이든 간에 옳은 것처럼 느껴진다. 거짓말이라도 상관없다. 너를 망칠 수만 있다면.

나는 운이 좋았다. 객관화할 수 있는 능력을 빨리 기를 수 있었다. 피해의식이 느껴지고 분노가 치밀어 오를 때마다 나는 닉슨을 떠올린다. 닉슨의 노력과 선량함을 떠올린다. 그런 훌륭한 가능성을 가졌던 사람을 완전히 망쳐버린 피해의식에 대해 마지막으로 떠올린다. 그리고 경계한다. 피해의식은 사람의 영혼을 그 기초부터 파괴한다. 악마는 당신을 망치기 위해 피해의식을 발명했다. 결코 잊어선 안 된다.

자기 삶이 애틋하지 않은 사람은 없다. 누구나 자신이 오해받는다고 생각한다. 사실이다. 누군가에 관한 평가는 정확한 기준과 기록에 의해 좌우되지 않는다. 정말 불공평하다. 하지만 그게 현실이다. 이와 같은 현실을 두고 누군가는 자신을 향한 평가로부터 스스로를 분리시킨다. 말처럼 쉬운 일은 아니다. 하지만 죽을힘을 다해 그걸 해낸다. 그리고 자신이 할 수 있는 일을 묵묵히 한다.

스스로 구제할 방법을

찾는 사람들에게

누구도 내 말을 믿지 않고 들으려 하지 않고 나와 어울리려 하지 않을 때. 그럼에도 불구하고 도움이 필요하다면 우리는 어떻게 해야 할까. 방도가 없다. 내가 나를 구해야 한다.

마틴 맥도나의 〈쓰리 빌보드〉를 잠시 들여다보자.

〈쓰리 빌보드〉에는 〈디어 헌터〉와 〈쳐다보지 마라〉에 관한 언급이 자주 등장한다. 니콜라스 뢰그의 〈쳐다보지 마라〉에 관해서는 이전에 다른 책에서 다룬 적이 있다. 꼭 다시 읽고 올 필요는 없다.

영화 속에서 다른 오래된 영화들의 흔적을 찾는 건 즐거운 작업이다. 감독이 의도하지 않은 경우라면 영화사라는 거대한 흐름이 개별의 영화들에 어떤 방식으로 스며들어 영향을 주고 있는지 확인해볼 수 있어 즐겁다. 정말 재미있는 건 감독이 의도했을 경우다. 노련한 이야기꾼은 이야기가 도달하고자 하는 결승점 혹은 고취시키고자 하는 바에 관해 작품 안에서 장황하게 설명하지 않는다. 굳이 작품 안에서 창작자의 주제의식 따위를 설명하고 싶다면 영화를 만들 것이 아니라 거리에 나가 웅변을 하거나 사설을 쓰는 게 낫다. 다만 어떤 감독들은 이야기에 질감을 더하고 해석에 일종의 방향성을 제시하기 위해 오래된 영화들의 특정한 장면이나 대사를 활용하는 방법을 선택한다. 당신이 지금 보고 있는 영화 속 장면에서 어느 낡은 영화가 상영되고 있다면, 거기에는 의도가 있다.

〈쓰리 빌보드〉는 범죄로 딸을 잃은 어머니가 수사 당국을 책망하는 메시지를 마을 외곽 대형 광고판에 실으면서 벌어지는 이야기를 다룬다. 누군가는 여기서 프랜시스 맥도먼드와 우디 해럴슨 그리고 샘 록웰의 빼어난 연기를 볼 것이다. 누군가는 매우 효과적인 유머들을 통해 무능한 경찰 권력이 조롱당하는 걸 볼 것이고 또 다른 누군가는 가장 잘못된 순간에 가장 잘못된 말을 내뱉어버린 어머니의 후회를 읽을 것이다. 그러나 이 영화가 도달하고자 하는 차원은 보다 보편적인 데 있다. 어떻게 살아야 하는지에 관한 것 말이다.

〈쓰리 빌보드〉는 신도 희망도 없는 세상에 자력구제를 위해
나선 사람들이 어떻게 살아남을 수 있는지 이야기하는 영화
다. 힌트처럼 심어둔 두 편의 영화 그리고 그것을 언급하는
행위를 통해 감독이 극복하고자 하는 것들에 관해 함께 생
각해보자.

영화의 도입부를 보라. 타이틀 이후 첫 번째 시퀀스. 주인공
이 빈 옥외 광고판을 발견하고 아이디어를 떠올린다. 두 번
째 시퀀스. 광고업자를 찾아가서 계약을 한다. 세 번째 시퀀
스. 샘 록웰이 경찰차 안에서 '스트리트 오브 러레이도(Street
of Laredo)'를 부르다 말고 "마우!"라고 여러 번 소리친다. 그
리고 주인공의 광고판을 발견한다. 여러분이 〈디어 헌터〉의
팬이라면 눈치챘겠지만, 샘 록웰이 "마우"를 외치는 대목은
〈디어 헌터〉의 전설적인 러시안룰렛 장면에서 가져온 것이
다. 베트남전쟁 중 포로로 잡힌 크리스토퍼 워컨과 로버트
드니로에게 러시안룰렛을 강요하며 위협하는 적군이 반복

해서 소리치는 대사다.

영화의 중반. 샘 록웰의 어머니가 주인공을 괴롭히고 싶으면 그 주변 사람을 먼저 괴롭히라고 조언한다. 샘 록웰은 주인공의 친구를 마리화나 소지 혐의로 체포한다. 이에 화가 난 주인공이 항의를 하기 위해 경찰서를 방문한다. 주인공이 머리에 밴디지를 두르고 등장한다. 그녀가 늘 군복처럼 보이는 점프 슈트 스타일의 작업복을 입고 다닌다는 점을 상기할 필요가 있다. 이 장면은 머리에 밴디지를 두른 〈디어 헌터〉 속 크리스토퍼 워컨의 모습을 직접적으로 연상시킨다.

앞선 두 장면을 통해 프랜시스 맥도먼드가 연기하는 주인공과 샘 록웰이 연기하는 경찰은 각각 〈디어 헌터〉 속의 피해자와 가해자로 겹친다. 사실 〈쓰리 빌보드〉의 마틴 맥도나 감독과 샘 록웰은 전작 〈세븐 싸이코패스〉에서 크리스토퍼 워컨과 작업하면서, 인터뷰를 통해 〈디어 헌터〉의 광적인 팬이라는 사실을 여러 차례 밝힌 바 있다. 〈디어 헌터〉에서 크리스토퍼 워컨이 어떻게 되는지 상기해볼 필요가 있다. 그는 베트남전쟁에서 살아남지만 러시안룰렛을 동원한 폭력의 기억에서 벗어나지 못한다. 살아남기 위해 열심히 싸웠지만 그에 잠식되어버린 것이다. 영화의 마지막에 이르러 로버트 드니로는 러시안룰렛만 반복하며 유령처럼 살고 있는 워컨을 발견한다.

〈쳐다보지 마라〉의 인용은 좀 더 직접적이다. 장면이 등장하는 건 아니지만 대사를 통해 영화 자체가 언급된다. 샘 록웰의 어머니가 주인공을 괴롭히고 싶으면 주변 사람을 먼저 괴롭히라고 조언하는, 앞서 설명한 시퀀스다. 어머니가 계속해서 도널드 서덜런드가 나오는 영화만 보고 있으니 샘 록웰이 핀잔을 준다. "또 도널드 서덜런드 영화예요?" "마음에 들어. 머리 스타일이." "머리 스타일이요? 풋." "여기서 도널드 서덜런드 딸이 죽잖아." "언제나 그렇죠." "그래서, 그 광고판 여자는 어떻게 됐니?"

여기서 언급되는 "도널드 서덜런드 딸이 죽는 영화"가 바로 〈쳐다보지 마라〉다. 〈쓰리 빌보드〉의 엄마처럼 〈쳐다보지 마라)의 부모도 딸을 잃었다. 〈쓰리 빌보드〉처럼 무능한 경찰과 무책임한 성직자가 등장한다. 즉 체계도 신도 부재하니 당사자가 스스로 해결해야 한다. 도널드 서덜런드가 연기하는 아버지는 딸이 왜 죽었는지에 관한 해답에 이르기 위해 이국에서의 여정을 거친다. 신비주의와 공포로 얼룩진 여정 속에서 그 모든 경고와 암시에도 불구하고 아버지는 문제에 몰입한 나머지 문제 자체에 먹혀버리고 만다. 그리고 마침내 소름끼치는 파국을 맞는다.

〈디어 헌터〉와 〈쳐다보지 마라〉의 주인공들은 스스로 문제를 해결하기 위해 일어섰다. 아군의 도움 없이 포로수용소에서 탈출해 살아남아야 했고, 경찰이나 사제의 도움 없이 딸의 죽음에 관련된 미스터리를 풀어야 한다. 이들은 모두 문제를 해결한다. 그러나 문제를 해결하기 위해 당면하고 맞서 싸워야 했던 폭력의 체계 안에 갇혀버리고 끝내 파멸한다.

〈쓰리 빌보드〉의 주인공도 같은 수순을 밟는다. 〈디어 헌터〉

의 프레임 안에서 주인공은 스스로 문제를 해결하기 위해 흡사 러시안룰렛을 하고 있는 사람마냥 상대보다 거칠고 대담하게 행동하려 매 순간 애쓴다. 〈쳐다보지 마라〉의 프레임 안에서 딸의 죽음에 관한 해답을 찾기 위해 분투한 나머지 이에 집착하며 조금씩 더 큰 파국을 향해 걸어 들어간다. 영화는 중반에 이르기까지 〈디어 헌터〉와 〈쳐다보지 마라〉라는 힌트를 제시하면서 이대로 가다간 저 두 영화의 주인공들처럼 그녀 또한 끝내 파멸할 것이라는 암시를 준다.

나를 구원할 신도, 나를 구제할 체계도 부재한 세계. 거기서 스스로를 구제하기 위해 일어선 사람들이 왜 항상 비극적인 결말을 맞을 수밖에 없는 것인가. 경찰서 방화 장면에 이르러 크리스토퍼 워컨과 도널드 서덜런드와 프랜시스 맥도먼드의 잔상이 겹치는 순간, 영화 〈쓰리 빌보드〉는 전환을 맞는다. 〈쓰리 빌보드〉는 스스로를 구제하려는 자들이 어떻게 살아남을 수 있는지에 관해 이야기하기 위해 앞선 암시와 징조들을 극복해내고자 한다. 그것은 우디 해럴슨으로부터 시작된다.

우디 해럴슨은 경찰서장이다. 주인공의 광고판 때문에 곤란한 처지에 처한다. 여론은 서장의 편이지만 정작 그는 마음이 편치 않다. 서장은 주인공의 행동에 당황하고 언짢아하면서도 그녀가 왜 그렇게까지 할 수밖에 없었는지 이해하고 있다. 그렇다, 그는 이해할 수 있다. 혼자 힘으로 버티며 싸워나간다는 게 무엇인지 잘 알고 있기 때문이다.

말기 암을 앓고 있는 서장이 스스로를 구하기 위해 어떤 선택을 하는 대목에 이르러, 그의 선한 의지는 묘한 방식으로 다른 사람들에게 옮겨 간다. 살면서 한 번도 인정받지 못한 사람에게는 인정으로, 희망이 절실한 사람에게는 희망으로 나타난다. 그리고 마침내, 우리는 스스로를 구제하기 위해 싸우던 사람들이 서로를 돕기 시작하면서 작은 진전을 이루어나가는 마술 같은 광경을 목격하게 된다.

기댈 수 있는 신적 존재도, 제도적 안전장치도 없이 혼자 싸워야 할 때가 있다. 그럴 때면 우리는 피폐해진다. 싸우기 위해 거칠어진다. 불신만 남는다. 서로를 가장 잘 이해할 수 있을 법한 사람들끼리도 상대를 증오한다. 내가 가장 싫어하는 나의 모습을 상대에게서 발견했을 때, 우리는 공감과 이해보다 질타와 선 긋기를 우선하기 마련이다. 버티어 살아남는 경우도 있다. 하지만 끝내 우리가 싸웠던 어둠 안에 갇히고 만다. 너무 오랫동안 혼자 힘으로 살아남은 탓에, 타인의 도움을 받는 방법을 잊은 것이다.

끝까지 버티고 싸우되 피폐하고 곤궁한 마음을 가진 사람들끼리 선의를 가지고 선한 행동을 하며 서로를 도울 것. 〈쓰리 빌보드〉는 자력구제를 위해 일어선 사람들 사이의 선한 의도와 행동 그리고 연대만이 〈디어 헌터〉나 〈쳐다보지 마라〉와 같은 비관적 결말을 극복할 수 있다고 이야기한다.

결국 우리는 우리가 가진 가장 멋지고 빼어난 것들 덕분이 아니라 언제 했는지도 기억하지 못하는 오래된 선행들 때문에 구원받을 것이다. 나는 그렇게 생각한다.

삶의 바닥에서

괜찮다는 말이 필요할 때

누군가 내게 질문을 해왔다. 지금이 밑바닥이라는 걸 어떻게 알 수 있나요. 나는 대답했다. 더 이상 자존심이 상하지 않을 때가 밑바닥인 것 같습니다. 거기 이르고 나면 여기서 더 망해봤자 크게 달라질 것도 없으니 생존을 위해 어떤 노력이라도 할 수 있는 몸 상태가 됩니다. 배고픈 건 주워 먹으면 되고, 기분 나쁜 건 내가 못났으니까 하고 넘기면 됩니다. 어떻게든 살아야 하니까 뭐든 할 수 있고 또 뭐든 최선을 다해 열심히 할 수 있습니다.

진짜 문제는 그렇게 삶이 알려준 값비싼 교훈이 영원히 지속되지 않는다는 데 있다. 바닥을 찍고 고비를 지나 안정을 되찾게 되면 우리는 매번 처음으로 돌아가게 된다. 머리로 알더라도 행동이 따라주지 않는다. 입으로는 말할 수 있어도 정작 나 자신에게 적용하기 점점 어려워진다. 바닥에서 깨달았던 것들은 삶으로부터 얻을 수 있는 가장 소중한 자산이다. 그럼에도 그게 언제 그랬냐는 듯 남의 이야기처럼 들리거나 잘 기억나지 않는다. 가장 중요한 것들을 까먹는 것이다. 그렇게 삶은 계속되고 우리는 실수를 반복한다.

지난 보름 내내 내가 그런 상태였다. 애초 들을 마음이 없는 사람들을 상대로 대화를 하려 노력했다. 진심을 다해 이야기하면 반드시 소통할 수 있다는 망상에 빠졌다. 그렇게 해야 뭔가를 바꿀 수 있는데, 라며 마음을 쥐어짰다.

기만이었다. 애초 아무것도 바꿀 수 없다는 걸 모르지 않았다. 지난 십수 년 동안 몇 번이고 되풀이해서 배웠던 교훈이다. 아무것도 바꿀 수 없다는 것 말이다. 그래서 투병 후에는 비평도 그만두고 사회적인 어떤 발언도 노력도 하지 않기로 한 뒤 내 주변의 삶을 글로 담는 작업과 청년들이 나 같은 이십 대를 보내지 않게 만드는 문제에만 집중했다.

그런데 찰나의 순간 흔들렸다. 그리고 다시 한번 바꿀 수 있다고 생각했다. 도움이 될 수 있으리라 생각했다. 서로 완전히 다른 생각을 가진 사람과 사람을 이어주는 것이 건강을 되찾은 내 소명이라고 생각했다. 오만이었다. 설상가상 오랫동안 신뢰했던 사람이 생각지도 못한 방향에서 뒤통수를 치고 나섰다. 결국 건강만 나빠졌다.

나는 솔직히 사는 게 지긋지긋하다. 재발을 두려워하고 있는 건지 기다리고 있는 건지 구분이 되지 않는다. 환멸이 느껴지고 짜증이 나고 화가 난다. 세상의 추악한 것들로부터 가장자리로 밀려나 끝없이 추락하고 있는 사람들에게 "나는 살 가치가 있나요"라는 질문을 하루 수십 개씩 받으면서 거기에 대고 "가치가 있습니다"라고 대답하는 나 자신이 역겹다. 원고 마감일은 이미 며칠 전에 지났고 한 글자도 쓰지 못했다.

그래서 나는 니체를 다시 읽기로 했다. 걱정할 필요 없다. 어쩌면 이건 그냥 사랑 이야기다. 내게 있어 니체의 가장 중요한 아이디어는 단연 운명애(아모르파티amor fati)와 영원회귀다. 권력의지는 여기서 다루지 않는다. 두 개념은 서로 다른 저서에서 등장한다. 하지만 결국 따로 떨어뜨려 이해할

살
고
싶다
는
농
담

수 없다. 운명애와 영원회귀는 하나다. '네 운명을 사랑하라'
는 지상명령과 '동일한 것의 영원한 반복'이라는 개념이 어
떻게 이어져 있다는 건지 말하려면 일단 애처롭고 창피하고
치졸하기 짝이 없는 니체의 사랑 이야기부터 해야만 한다.
니체와 그의 친구 레, 그리고 그들이 사랑했던 루 살로메 이
야기다.

니체는 문헌학계의 스타로 출발했지만, 철학자로 변모한 뒤
주로 멸시와 조롱을 받게 된다. 초기 철학은 대부분 쇼펜하
우어로부터 영향받은 것이다. 쇼펜하우어에게 삶은 고통이
다. 빠져나올 방법이 없는 고통이다. 칸트가 물자체라 불렀
고 쇼펜하우어가 의지라 불렀던 세계의 진실에 닿기 위해
쇼펜하우어는 해탈을 요구했다. 말이 길지만 한마디로 어렵
다는 이야기다. 더 짧게 말하자면 '우린 안 될 거야'라는 거
다. 니체는 쇼펜하우어와 바그너(바그너 또한 쇼펜하우어 덕후
였다)를 열렬히 사랑했음에도 불구하고 내심 염세주의를 혐
오했다. 그는 이를 극복할 방법을 고심하는 중이었다. 그러
던 어느 날 지옥과도 같은 사랑의 운명이 니체를 습격했다.

파울 레는 러시아에서 온 당대의 걸출한 여성 루 살로메에게 청혼을 했다가 거절당했다. 다만 살로메는 여지를 주었는데, 남자 두 명과 여자 한 명으로 이루어진 지적 동거는 허락할 수 있다는 것이었다. 거의 동시에 레는 친구이자 철학적 스승인 니체를 떠올렸다. 레는 니체 정도라면 연적으로서 얼마든지 그를 능가할 수 있다고 생각했던 것 같다. 그렇게 레는 니체에게 살로메를 소개했다. 니체는 평생 고독과 싸워왔다. 당시 그는 아무에게나 충동적으로 청혼을 했다. 공식적으로 기록된 것만 두 번이다. 상습청혼자 니체는 살로메를 보자마자 말했다. "어느 별에서 떨어졌길래 우리는 이곳에서 만난 걸까요?" 살로메가 답했다. "어찌 됐든 나는 취리히에서 왔다오." 니체는 살로메와 많은 시간을 함께하면서 도무지 어찌할 수 없는 무시무시한 사랑에 빠졌다. 그는 살로메에게 두 번 청혼하고 두 번 거절당했다. 그러고 나서야 3인 동거 계획에 겨우 동의했다.

니체는 살로메에게서 삶의 모든 영역을 함께 나눌 수 있는 동지로서의 가능성을 보았다. 그는 살로메와 타우텐부르크의 휴양지에서 즐거운 시간을 보냈다. 아마도 그의 삶을 통틀어 가장 완벽하고 아름다운 시절이었다. 그러나 레가 기다리고 있었다. 세 사람은 의기투합한 대로 결국 라이프치히에서 3인 동거 계획을 실행한다. 살로메는 니체를 사상가로 좋아했지만, 남자로서는 아니었다. 니체가 바보가 아닌 이상 그걸 몰랐을 리 없다고 생각한다. 어찌 됐든 니체는 그렇게라도 함께하고 싶었던 것이다. 나는 그 선택이 참 처량하다.

한 달이 지났다. 레와 살로메가 파리에서 동거를 이어나가자는 제의를 한다. 그리고 필요한 것들을 준비하기 위해 두 사람이 먼저 출발하겠다고 주장한다. 니체는 홀로 남았다. 그리고 살로메와 함께할 파리의 숙소를 수소문했다. 시간이 흘렀다.

이것들이 왜 연락이 없지. 니체는 조금씩 두려워졌다. 그리고 다시 시간이 흘렀다. 연락은 오지 않았다. 니체는 버려졌다. 그들은 평생 다시 만나지 못했다.

니체는 이후 우울증과 불면증, 그리고 아편에 빠져 두 번 죽을 뻔한다. 니체가 이 기간 동안 친구 레에게 보낸 편지를 보면 명치가 저린다. 회유했다가, 욕을 했다가, 살로메를 저주했다가, 모두를 용서했다가, 다시 화를 내다가, 도대체 왜 그랬냐고 울부짖는다. 레는 이후 끝내 살로메가 자신을 선택하지 않고 다른 남자와 결혼하자 별안간 의학을 배워 가난한 사람들을 치료하는 의사가 된다. 그리고 니체가 세상을 떠난 지 1년 후에 자살한다. 살로메는 니체가 죽고 나서 유명해지자 니체에 관한 글을 써서 책을 낸다. 그녀를 욕할 이유는 되지 않는다. 루 살로메는 돌처럼 단단하고 새처럼 자유로운 인간이었다.

니체는 이 지옥과도 같은 시간의 참혹한 밑바닥으로부터 광인처럼 기어 올라와 기어이 필생의 저작을 완성해낸다. 『차라투스트라는 이렇게 말했다』는 그렇게 쓰였다. 우리 모두 끔찍한 배신에 관련된 기억이 있을 것이다. 고통을 계량화하려는 모든 노력이 부질없듯이, 우리가 니체만큼 니체가 우리만큼 괴로웠을지는 알 수 없으나 그가 겪은 고통의 색

깔이 어떤 것일지는 공감할 수 있으리라. 니체는 삶이 그를 완벽하게 배신했을 때 대체 무슨 생각을 했던 걸까.

『차라투스트라는 이렇게 말했다』에 등장하는 영원회귀는 '동일한 것의 영원한 반복'이다. 우리가 죽으면 똑같은 인생이 다시 반복된다는 이야기다. 시간 여행이 아니다. 평행 우주도 아니다. 완전히 토시 하나 바뀌지 않은 그대로가 반복된다는 것이다. 나는 이 구절을 여러 번 읽고 이해한 뒤 토할 뻔했다. 우리가 과거의 인생을 반복하고 있고 그것을 다시 영원히 반복한다는 아이디어는 끔찍한 생각이다. 니체는 정확히 바로 그 공포에 맞서라고 이야기한다. 모든 것이 영원히 반복된다는 운명론적 공포를 극복하고, 반복되더라도 좋을 만큼 모든 순간에 주체적으로 최선을 다하라고 말하는 것이다. 상관없다고, 이토록 끔찍한 삶이라도 내 것이라고 외치라는 것이다. 나아가 그런 삶을 사랑하라 주문하는 것이다. 니체의 영원회귀는 바로 그 순간 네 삶의 고통과 즐거움 모두를 주인의 자세로 껴안고 긍정하라는 아모르파티와 결합한다.

니체가 『차라투스트라는 이렇게 말했다』를 쓰고 있을 무렵 그가 영원회귀를 말하면서 누구를 떠올렸겠는가. 당연히 루 살로메다. 그는 그녀로 인해 고통을 겪었다. 끔찍하고 참담 했다. 하지만 그렇다고 해서 그녀와 함께했던 아름다운 시 간마저 모두 부정될 수 있는 것인가. 아니다. 타우텐부르크 에서의 시절은 니체 인생의 정점이었다. 전에 없었던 기쁨 이었다. 삶의 가장 기쁜 순간을 반복하기 위해서라면 가장 추악한 순간마저 얼마든지 되풀이하겠다고 결심하는 순간 니체는 차라투스트라가 되어 큰 소리로 외치는 것이다. "그 것이 삶이었던가? 좋다! 그렇다면 다시 한번!"

니체는 1889년 광장에서 마부에게 학대당하고 있던 말을 부둥켜안고 울부짖다 쓰러진 뒤 완전히 미쳐버린다. 그리 고 정신을 차리지 못한 채 1900년 죽는다. 삶에 아무런 의미 가 없다 생각되고 연필을 들 의지조차 생기지 않을 때 나는 『즐거운 학문』이나 『차라투스트라는 이렇게 말했다』에서 예 전에 읽으면서 형광펜으로 칠해놓았던 부분만 다시 읽는다. 그리고 그의 삶을 그의 글 위로 펼쳐본다. 그가 "다시 한번!"

을 외칠 때 어떤 표정과 목소리였을지 상상해본다. 그러고 나면 견디기 어려울 정도로 슬퍼졌다가 금세 말로 다 할 수 없는 용기가 샘솟는다.

이렇게 글로 쓰고 나니 마음으로부터 어둠이 걷히고 햇살이 비추어오는 기분이다. 이제 나는 괜찮다. 이 글이 부디 여러분에게도 괜찮다고 말해줄 수 있으면 좋겠다.

"이것이 삶이었던가?
좋다! 그렇다면 다시 한번!"

기억 2 —

김영애, 그녀는 아름답고 위태로웠다

영화 전문지의 설문에 응답한 일이 있다. 한국 영화 사상 최고의 여자 캐릭터를 묻는 질문이었다. 나는 〈충녀〉의 윤여정과 〈밀양〉의 전도연, 〈친절한 금자씨〉의 이영애, 그리고 마지막으로 〈깊은 밤 갑자기〉의 김영애를 꼽았다. 어쩌면 식상해질 게 빤한 이 리스트에 〈깊은 밤 갑자기〉의 김영애를 거론한 것에 대해 내심 기분이 좋아졌다. 조만간 영화를 다시 한번 봐야겠다는 다짐을 했다. 답을 보내고 나서 하루 이틀이 지난 날이었다. 김영애 선생님의 부고가 들려왔다. 차를 갓길에 세우고 한동안 멍하니 앉아 있었다.

나는 그날 밤 〈깊은 밤 갑자기〉를 다시 꺼내 보았다. 그녀는 아름다웠다. 그리고 무시무시했다.

한국의 1960년대에서 1980년대 사이의 공포 영화들을 돌아보면 공통점이 발견된다. 거의 대부분의 영화들이 〈하녀〉의 영향으로부터 자유롭지 못하다는 게 그렇다. 김기영 감독의 〈하녀〉는 기록적인 흥행을 했을뿐더러 이후 시리즈처럼 이어진 〈화녀〉 〈충녀〉 〈화녀 82〉 또한 시장과 평단으로부터 좋은 반응을 얻었다. 탄탄한 중산층 가정, 외부에서 들어온 젊은 여자, 신분 상승과 더 젊은 육체를 둘러싼 욕정, 질투의 심화, 가정의 파탄으로 이어지는 이야기 구조는 한국 관객에게 수차례에 걸쳐 증명된 흥행 공식이었던 것이다. 그러므로 다른 공포 영화들이 좇아갈 수밖에.

고영남 감독의 1981년 작품 〈깊은 밤 갑자기〉도 마찬가지였다. 남편이 젊은 여성을 데리고 들어와 가정부로 고용하고, 아내는 미쳐간다. 그런데 이 영화는 〈하녀〉의 다른 아류작들과는 많이 달랐다.

단도직입적으로 말해서 〈깊은 밤 갑자기〉는 1980년대 한국 공포 영화의 가장 빛나는 성취다. 이야기의 무게중심을 '하녀' 캐릭터에서 '미쳐가는 아내'에게 옮긴 이 영화는 조금씩 미쳐가는 아내의 모습을 통해 관객을 충격과 혼돈에 빠뜨렸다. 특히 완전히 미쳐버린 아내의 모습을 표현해낸 이 영화의 마지막 장면은, 말 그대로 충격적이다. 고영남 감독도 자신이 만들어낸 이 마지막 장면이 내심 마음에 들었는지 훗날 〈여자, 여자〉에서 똑같이 반복해 사용했다.

고백하건대, 나는 이 마지막이 분명히 어딘가에서 표절한 것이 아닐까 의심했었다. 이렇게 훌륭한 아이디어가 갑자기 어디서 튀어나왔겠는가. 게다가 한국 최초의 좀비 영화인 1980년의 〈괴시〉가 이탈리아 공포 영화의 완전한 표절이라는 걸 알아낸 직후였기 때문에 더 의심했던 것 같기도 하다. 다리오 아르젠토나 루치오 풀치의 영화에서 비슷한 장면을 본 것도 같았다. 그러나 당시 몇 개월에 걸쳐 뒤져본 결과 나는 〈깊은 밤 갑자기〉의 오리지널리티를 의심할 만한 어떤 증거도 찾지 못했다.

〈깊은 밤 갑자기〉에서 '미쳐가는 아내' 캐릭터를 연기한 것이 바로 김영애다. 그녀가 정말 미친 것인지, 아니면 남편이 무언가를 속이고 있는 것인지 알 수 없이 관객을 혼란에 빠뜨리는 김영애의 연기는 놀랍다. 〈깊은 밤 갑자기〉의 김영애는 〈샤이닝〉의 잭 니콜슨에 비견할 만하다. 농담이 아니다. 〈깊은 밤 갑자기〉가 〈화녀 82〉나 〈여곡성〉을 제치고 1980년 대 가장 훌륭한 공포 영화가 될 수 있었던 건 온전히 김영애 의 공이다.

이야기는 이렇다. 남편은 저명한 곤충학자다. 그는 며칠이 고 산으로 들로 곤충 채집을 나갔다가 돌아와 동료 교수들 을 불러 채집한 표본들과 사진을 보며 토론을 하는 취미를 가지고 있다. 이번에도 나비 채집을 위한 출장을 나갔다가 돌아왔다. 동료들과 함께 희귀한 나비들의 사진을 감상한다. 그런데 나비들의 사진 중에 이상하게 생긴 여자 목각인형의 사진이 섞여 있다. 하얀 옷을 입고 칼을 들고 있는 모습이다. 남편은 대수롭지 않게 넘어간다. 그러나 목각인형의 사진을 본 아내는 이유를 알 수 없는 불안감에 몸을 떤다.

또다시 출장에 나섰던 남편이 돌아온다. 그런데 이번에는 혼자가 아니다. 미옥이라는 이름의 젊은 여자를 데리고 돌 아왔다. 채집을 위해 지방을 돌아다니던 중, 무당인 어머니와 사당이 불에 타 갈 곳이 없어진 미옥을 발견하고 딱하게 여겨 데리고 왔다는 것이다. 이게 뭔 말도 안 되는 설명인가 싶은데 아무튼 아내는 마침 집에 일손이 필요했는데 잘됐다며 기뻐한다.

미옥을 데리고 들어가 씻기던 아내는 그녀의 젊고 숨막히게 아름다운 몸에 감탄한다(미옥은 1980년대 활동하다가 어느 순간 홀연히 사라진 배우 이기선이 연기하고 있다). 그런데 미옥의 짐을 정리하다가 목각인형을 발견한다. 얼마 전 남편의 나비 사진들 가운데 섞여 있었던 바로 그 사진 속의 목각인형이다. 아내는 다시 한번 불안과 공포를 느낀다.

이날부터 아내는 남편이 자기 몰래 미옥과 집 안에서 정사를 나누는 환상을 보게 된다. 그것이 환상인지 진짜인지 알수 없다. 확실한 건 아내의 몸과 마음이 점점 더 망가져가고 있다는 사실이다. 어느 날 아내는 작심을 하고 건물 꼭대기 층에서 창문을 닦고 있던 미옥을 떨어뜨려 죽인다. 그리고 사고로 위장한다. 그러나 미옥이 죽고 나서도 아내의 광기는 사그라들지 않는다.

급기야 아내는 미옥의 귀신을 보기 시작한다. 목각인형처럼
차려입은 미옥의 귀신이 나타나 아내를 공격하는 것이다.
비바람과 천둥 번개가 내리치는 밤, 아내는 미옥의 귀신과
마지막 결전을 벌인다. 다음 날 집에 귀가한 남편은 엉망이
된 집을 보고 크게 놀란다. 방문을 열고 남편이 발견한 건
목각인형과 똑같이 차려입고 앉아서 정면을 응시하고 있는
아내다.

영화를 보면 언뜻 진실이 무엇인지 알 수 없게 진행되고 있
지만 논리적으로 이야기를 따져보면 간단하다. 출장에 나섰
던 남편이 무당 집에서 민박을 했다가 목각인형 사진을 찍
게 되고 그날 밤 무당의 딸 미옥과 정사를 갖는다. 그리고
다음 출장 때 미옥을 데리고 집에 돌아온 것이다. 남편은 실
제 미옥과 집에서 관계를 가져왔고 아내를 미친 사람으로
몰았으며 아내는 실제로 조금씩 미쳐갔다. 목각인형은 미옥
을 지키고자 하는 의지를 가진 신비한 물건이다. 아내는 결

국 미옥의 원한이 깃든 목각인형과 싸우다가 그에 잠식되어 버린다.

〈깊은 밤 갑자기〉는 여러모로 좋은 운을 타고난 영화다. 좋은 이야기가 있고 새로운 시도를 두려워하지 않는 훌륭한 연출자가 있었다. 무엇보다 특별한 배우들이 있었다. 남편을 연기하며 천연덕스럽게 거짓말을 늘어놓는 윤일봉과 미옥을 연기한 이기선의 신비한 아름다움은 이 영화의 묘한 분위기에 크게 일조했다.

그러나 가장 결정적인 역할을 한 건 역시 아내를 연기한 김영애였다. 결코 증명할 수 없는 남편의 부정과 미옥의 젊음 앞에 당장이라도 혼절할 듯 넌더리를 내며 천천히 정신을 놓아버리는 그녀의 가공할 만한 연기는 〈깊은 밤 갑자기〉에 '걸작'이라는 수사를 더하지 않을 수 없게 만든다.

김영애는 내가 기억하는 한 가장 여러 번 '엄마'였던 배우다. 그녀를 떠올리는 데 가장 어울리는 건 어쩌면 그녀가 엄마였던, 바로 그 애틋하고 안쓰러운 공감의 순간들을 추억하는 것일지 모른다. 그러나 나는 가장 애틋하고 안쓰러운 공감의 순간 대신에 그녀가 가장 파괴적이고 매혹적이었던 절정의 순간을 꼽고 싶었고, 그래서 〈깊은 밤 갑자기〉로 이렇게 그녀를 추억한다. 나는 그녀를 영원히 잊지 못할 것이다. 김영애 선생님 고맙습니다. 안녕히 가세요.

천장과 싸워 이긴 자들, 그리고 바닥과 싸워 이겨본 자들만이 오직 천장과 바닥 사이에 펼쳐진 삶을 당연하게 받아들이지 않고 겸허하고 담대한 마음으로 타인을 돕고 스스로를 구하며 살아갈 수 있는 게 아닐까.

Part 3.   다시 시작한다는 것

바람이 일어난다. 살아야겠다.

le vent se leve, il faut tenter de vivre.

_ *Paul Valery*

바꿀 수 있는 용기와

바꿀 수 없는 것에 대한 평정

바꿀 수 없는 것을 평온하게 받아들이는 은혜와

바꿔야 할 것을 바꿀 수 있는 용기,

그리고 이 둘을 분별하는 지혜를 허락하소서.

라인홀드 니부어의 기도문이다. 『도덕적 인간과 비도덕적
사회』의 그 니부어 맞다. 기도문의 이름은 '평온을 비는 기
도'다. 미국의 금주협회에서 애용되면서 유명해졌다. 아마
이 기도문을 아는 사람도 다른 버전으로 기억하는 이들이
많을 테다. 금주협회를 통해 다양한 버전이 양산되었기 때
문이다.

이 기도문이 금주협회에서 애용된 이유에 관해선 알코올 중
독자가 가장 잘 알 것이다. 알코올 중독자만큼 이 기도문이
성찰하고 있는 지혜에 공감할 수 있는 사람은 없다. 10년 전
술 문제를 겪었던 나 또한 그랬다.

"바꿀 수 없는 것을 평온하게 받아들이는 은혜." 중독자들은 알코올 중독이 삶에 초래한 불행과 그 결과를 결코 바꿀 수 없다. 그러므로 적어도 평온하게 받아들일 수 있어야 한다. "바꿔야 할 것을 바꿀 수 있는 용기." 더 이상 술에 의존하지 않겠다는 것, 즉 바꿔야 할 것을 바꿀 수 있는 용기를 실천할 수 있어야 한다. "그리고 이 둘을 분별하는 지혜를 허락하소서." 음주가 가져온 삶의 비극을 인정하고 받아들이는 태도가 자칫 중독을 다시 내 삶 안으로 끌어들이는 변명이 되지 않도록 분별력을 잃지 않아야 한다. 그러므로 지혜가 필요하다.

더 이상 기독교인이 아님에도 불구하고 이 기도문은 내게 위안을 주었다. 아닌 게 아니라 내가 성서를 너무 자주 인용한다는 지적이 있었는데 그건 중세 이후 인류가 만들어낸 가장 빼어난 지혜들이 기독교를 인용하거나 부정하거나 극복하기 위해 쓰여졌기 때문에 어쩔 수 없는 일이다. 중세를 암흑의 시기로 보지만 그 안에서도 플라톤과 아리스토텔레스를 베끼는 방식으로 기독교 세계관을 강화하거나 혹은 아예 뒤집어 엎고자 하는 정치적, 철학사적 흐름이 있었다. 그런 걸 읽고 자란 인간이 비록 교회와 결별했더라도 이를 인용함으로써 얻을 수 있는 사유를 저버린다는 건 낭비에 가깝다. 사실 혐오와 배제가 융성한 세상에 내가 어떤 이웃이 되어야 하는가에 관한 이야기를 설득력 있게 하기 위해 신약보다 인용하기 좋은 텍스트는 없다. 설득의 대상이 주로 기독교인이라는 건 아이러니다.

니부어의 기도문을 다시 떠올린 건 이 짧은 글이 담고 있는 지혜가 단지 음주 문제를 겪고 있는 이들에게만 유효한 게 아니라는 걸 날이 갈수록 강하게 실감하기 때문이다. 특히 이 기도문이 지칭하는 대상을 자기 자신으로 한정할 때 더욱 그렇다.

바꿀 수 없는 걸 평온하게 받아들인다는 게 얼마나 어려운 일인지 우리 모두 알고 있다. 바꿀 수 없다는 말에서 누군가는 체제나 구조 같은 단어를 떠올릴 것이다. 혹은 부장님 술버릇 같은 걸 떠올릴 수도 있다. 하지만 그런 것들은 사실 바꿀 수 있으며 실제 늘 바뀌고 있는 것들이다.

정말 바꿀 수 없는 건 이미 벌어진 일들이다. 내가 한 말과 행동, 선택으로 인해 이미 벌어진 일들 말이다. 이미 벌어진 일에 마음이 묶여 신음하는 소리를 들어보라. 얼마나 참담한가. 벌어진 일을 인정하고 받아들이는 게 쉬운 일이라면 그토록 많은 시간 여행 이야기들은 결코 사랑받지 못했을 것이다. 바꿀 수 없는 것이 존재한다는 건 인간이 겪을 수 있는 가장 큰 고통 가운데 하나다. 그러나 끝내 받아들이지 못하거나 너무 늦게 인정하면 삶이 파국으로 빠지는 걸 막을 수 없다. 오스카 와일드의 경우를 보자.

1890년대는 오스카 와일드의 해였다. 세계를 누비며 미학 강연을 했고 대중의 관심과 사랑은 꺼질 줄 몰랐다. 미국에 방문했을 때 세관에 "내 천재성 이외에는 신고할 것이 없다"고 말한 것은 전 세계 나르시시스트들의 귀감이 되었다. 1888년에는 『행복한 왕자』를, 1891년에는 『도리언 그레이의 초상』을 썼다. 같은 해 말에는 『살로메』를 완성했다. 모두

걸작이었다. 사람들은 그를 유미주의자로만 기억하는 경향이 있는데 그건 그의 작품은 읽지 않고 소란스러웠던 삶의 외양에만 관심을 가졌기 때문일 것이다. 그는 작품 속에서 사회적 책임과 윤리로부터 괴리된 아름다움이 얼마나 추한 것인지에 관해 늘 피력했다. 아무튼 1891년은 그렇게 오스카 와일드 인생에 있어 가장 화려한, 아무런 흠결이 없는 해로 기록될 참이었다. 그를 만나지만 않았다면 말이다.

알프레드 더글라스는 스물한 살의 옥스포드 대학생이었다. 오스카 와일드는 사랑에 빠졌다. 수렁에 빠졌다고 표현해야 할지 모르겠다. 살다 보면 그런 사람들을 만나게 된다. 가슴속에 큰 구멍이 있어서 아무리 큰 사랑을 바쳐도, 아무리 비싼 보석을 넣어도 채워지지 않는 사람들 말이다. 그런 사람을 만나면 반대 방향으로 있는 힘껏 도망쳐야 한다. 잡아먹힌다. 아무튼 알프레드가 그랬다. 속물에 사치가 심했고 오스카가 멀어지려 하면 자살하겠다며 상대의 마음을 가지고 놀았다. 오스카 와일드는 빈털털이가 되어가면서도 그런 그를 사랑했고, 동시에 빠져나오고 싶어 했다.

그런 와중에 알프레드의 큰형이 자살했다. 동성애 관계가 발각된 것에 따른 두려움 탓이었다. 하필 상대가 당시 총리였기 때문에 이는 정치적 스캔들이기도 했다. 덮을 게 필요했다. 아버지 퀸즈베리 후작은 막내마저 동성애 문제로 잃을 수는 없다는 표면적 이유를 들어 당대의 슈퍼스타 오스카 와일드를 동성애 혐의로 고발했다. 알프레드는 사이가 좋지 않은 아버지를 공격하기 위해 오스카를 이용했다. 알프레드에게 설득당한 오스카 와일드는 퀸즈베리 후작을 맞고소했다.

훗날 퀸즈베리 재판으로 알려진 이 송사에서 오스카 와일드는 패소했다. 대중이 스타의 탄생보다 좋아하는 건 스타의 몰락이다. 영국의 모든 극장과 서점에서 오스카 와일드의 흔적이 지워졌다. 시내에선 그의 패배를 축하하는 파티가 열렸다. 그는 파산했고 2년 동안 수감되어 중노동에 시달렸다. 이 기간 동안 알프레드에게 보낸 편지를 모은 『심연으로부터』를 보면 불과 몇 년 전까지 지구 위에서 가장 반짝거리는 인간이었던 오스카 와일드가 어떻게 말라 죽어가고 있는

지 생생하게 드러난다. 거대한 자의식은 곧 거대한 피해의식으로 변모했다. 그는 원망과 후회, 피해의식에 몸부림치며 과거의 일들을 하나씩 전부 복기하기 시작한다. 네가 내게 한 이 끔찍한 짓을 좀 보라고 비명을 지르며 연인이 자기 삶에 끼친 폐해로부터 빠져나오지 못한다.

출소가 임박해서야 겨우 벌어진 일을 인정하고 받아들이는 태도를 보인다. 그러나 영혼을 구할 수 있는 시점을 오래전에 지나쳤다. 너무 늦었다. 그는 완전히 망가졌다. 뒤늦게 삶 앞에 겸허해졌지만, 이미 삶 자체가 사라지고 없었던 것이다. 오스카 와일드는 3년 후 죽었다. 죽기 전 왜 더 이상 글을 쓰지 않느냐는 질문에 그는 이렇게 말했다. "나는 삶이 뭔지 모를 때 글을 썼습니다. 이제는 그 의미를 알기 때문에 더 이상 쓸 게 없습니다. 삶은 글로 쓸 수 있는 게 아닙니다. 그저 살아내는 것입니다. 나는 삶을 살아냈습니다."

바꿀 수 있는 걸 바꿀 수 있는 용기에 관해서는 니체를 다시 한번 인용하고 싶다. '삶의 바닥에서 괜찮다는 말이 필

요할 때'라는 글에서 니체의 삶과 후기 철학에 관해 언급한
바 있다.

네가 아무리 추악한 결론에 이르러 있더라도 아직 그것은
삶의 결론이 아니라는 것이다. 너는 아직 할 수 있는 것이
많고 그것을 이루려면 피해의식으로부터 결별하여 마침내
'그것이 삶이었던가? 좋다! 그렇다면 다시 한번!'(니체의 영원
회귀와 아모르파티)을 외칠 수 있어야 한다는 이야기였다. 앞
서 소개했듯 니체 또한 오스카 와일드의 사연처럼 시련을
겪고 피해의식에 파묻혀 숱한 편지를 썼다. 그러나 주저앉
지 않고 불굴의 의지로 일어서 『차라투스트라는 이렇게 말
했다』를 완성했다.

바꿀 수 있는 걸 바꿀 수 있는 용기를 가진 인간을 니체의
언어로 바꾸어 말하자면, 그것은 위버멘쉬일 것이다. 한때
초인으로 번역되었으나 이제는 극복하는 인간, 혹은 그냥
위버멘쉬라고 이야기한다.

위버멘쉬는 전지전능한 슈퍼맨이 아니다. 말 그대로 스스로를 극복해나가는 인간이다. 영원회귀와 아모르파티는 이 삶이 영원히 똑같이 반복된다 할지라도 주체적으로 끌어안고 긍정하며 살아내겠다는 자기 선언이었다. 위버멘쉬는 이를 실천하는 인간이다. 나아가 내 삶이 영원히 반복되는 것이라면, 그렇다면 영원히 반복되어도 좋을 만큼 제대로 바꾸고 극복하며 살아내겠다는 이야기다. 즉, 바꿔야 할 것을 바꿀 수 있는 용기란 자기 삶을 향한 주체적인 긍정으로부터 나온다.

처음 읽을 때는 위버멘쉬를 인간이 다다를 수 있는 다음 단계 정도로 이해했다. 오랜 세월 몇 번 되풀이해 읽다 보니 위버멘쉬란 단계가 아닌 태도에 붙여지는 이름이 아닐까 싶어졌다. 고통마저 긍정하고 사랑하며 운명을 바꾸어나가는 삶이란 단 한 번의 각성이 아닌 끊임없는 다짐과 실천을 통해서만 가능하기 때문이다.

광장에서 마부에게 학대당하고 있던 말을 부둥켜안고 울부짖다 쓰러진 뒤 완전히 미쳐버린 니체의 마지막을 떠올릴 때마다 그래서 더욱 눈물이 난다. 아마도 평생 동안 마부에게 채찍으로 맞아왔을 말을 보고 그는 무엇을 떠올렸을까. 그런 삶조차 긍정하고 주체적으로 살아내야 한다는 게 얼마나 슬픈 일인지에 관해 생각하며 그는 대신 맞아주기 위해 말을 감싸 안았던 것이다. 울다가 혼절하고 미쳐버린 것이다. 영원회귀고 아모르파티고 위버멘쉬고 그냥 아무 말이나 떠들어댔던 게 아니라 그 길에 이르는 처연함에 관해 누구보다 예민하게 공감하고 있었던 것이다. 니체가 이때 미치지 않았다면 분명히 개인들이 서로의 구원을 위해 필요할 때 대신 맞아주며 연대하여 위버멘쉬에 이르는 길을 제시했으리라 생각한다.

바꿀 수 없는 것과 바꿀 수 있는 것을 구별하는 지혜가 남았다. 바꿔야 할 것을 바꿀 수 없다며 인내하고 받아들이거나, 바꿀 수 없는 것을 바꿔야 한다며 이미 벌어진 일을 마음에 담아두고 스스로를 궁지에 몰아넣는 일을 막기 위해서다. 니부어의 기도문은 구조상 이 마지막 구절을 위해 쓰인 것이나 다름없다.

니부어는 그러므로 신에게 매일 기도하는 자세가 필요하다고 대답할 것이다. 나는 끊임없이 생각-사고를 해야만 한다고 말하고 싶다. 데카르트가 『방법서설』에서 존재를 확인하기 위해 필요하다 했고, 한나 아렌트가 『예루살렘의 아이히만』에서 악이 평범한 것은 사고를 허용하지 않기 때문(thought-defying)이라며 강조했던 바로 그 생각-사고 말이다. 시키는 대로 주어진 대로 혹은 우리 편이 하라는 대로 따르는 게 아니라 계속해서 생각하고 의심하고 고민하는 태도만이 오직 바꿀 수 없는 것과 바꿔야 할 것을 구별할 수 있는 밝은 눈으로 이어진다. 이 글이 단 한 명의 독자라도 그런 밝은 눈을 가질 수 있도록 이끌 수 있다면 정말 기쁠 것이다.

기억 3 —

조지 로메로, 절대 멈추지 않았던 사람

끝났다! 조지와 루소는 자리를 박차고 일어서서 춤을 추었
다. 이제 막 그들의 첫 번째 장편영화가 완성된 것이다. 몇
평 되지 않는 작은 편집실에서 둘은 길길이 날뛰었다. 조지
는 TV 프로그램 몇 개를 연출한 게 이력의 전부였다. 장편
연출은 이게 처음이었다. 루소는 조지와 함께 각본을 썼다.
작가로서의 첫 번째 결과물이다. 두 명의 젊은이는 이 풍자
적인 호러 영화가 큰돈을 벌어다 줄지는 알 수 없으나 적어
도 확실히 논쟁적일 것이라는 대화를 불과 며칠 전에 나눈
바 있었다. 그리고 이 생각은 여전히 변함없었다. 아니 오히
려 최종 편집본이 나온 지금에 와서 그런 예감은 더욱 또렷
해졌다.

뉴욕에 가자. 지금 당장 뉴욕에 가서 우리 영화를 틀고 싶다
는 아무 극장에나 이 필름을 던져주자. 조지의 생각이었다.
둘은 바로 자동차에 올라탔다. 이제 막 완성된 영화는 알루
미늄 케이스에 넣어져 트렁크에 쑤셔 박혔다. 고속도로를

달리며 그들은 들뜬 마음을 주체하지 못했다. 신이 난다! 고물 자동차의 창문을 내리고 비명을 질러댔다. 기쁨이 넘치는 밤이었다.

루소가 음악을 듣기 위해 라디오를 틀었다. 음악은 나오지 않았다. 뉴스가 방송 중이었다. 라디오를 통해 흘러나오는 목소리가 다급했다. 흡사 그들이 만든 영화 속의 뉴스 진행자가 그러했듯이. 진행자는 같은 문장을 연속해서 말하고 있었다. 세 번째로 반복할 때에 이르러서야 조지는 그 말을 완전히 이해할 수 있었다. "마틴 루터 킹 목사가 암살당했습니다."

조지는 자동차를 갓길에 세웠다. 조지와 루소는 아무 말도 하지 않았다. 훗날 그들은 둘 다 마음속으로 같은 생각을 하고 있었음을 밝혔다. 이 역사적인 비극이 흑인이 주연을 맡은 그들의 영화(시드니 포이티어가 아닌 이상 흑인 배우가 영화에서 주인공을 연기하는 일은 매우 드물었다)에 어떤 영향을 끼칠지에 관한 생각 말이다. 심지어 이 주인공은 영화에서 이마에

총을 맞고 죽는다. 둘은 말을 잃었다. 뉴스 진행자의 목소리만이 자동차 안에 가득했다. 자동차는 오랫동안 그 자리에 멈춰 서 있었다. 1968년 4월 4일이었다.

2017년 7월 16일, 조지가 세상을 떠났다. "큰돈을 벌어다 줄지는 알 수 없으나 적어도 확실히 논쟁적일 것"이라 생각했던 그의 첫 번째 독립 장편영화 〈살아 있는 시체들의 밤〉은 전설이 되었다. 그는 현대적인 좀비 영화의 원형을 제공했다. 무엇보다 영화가 장르의 형식을 빌렸을 때 급진적이고 정치적인 이야기를 훨씬 더 효과적으로 담아낼 수 있음을 입증했다. 그는 첫 번째 영화의 성공 이후에도 이를 증명하는 훌륭한 영화들을 계속해서 연출했다. 조지가 만든 영화와 그 자신은 셀 수 없이 많은 이들에게 레퍼런스가 되었다. 그는 죽는 그 순간까지 영화 작업을 멈추지 않았다. 조지 A. 로메로. 이 글은 그에 관한 이야기다.

우리가 알고 있는 영화와 게임 속의 좀비는 〈살아 있는 시체들의 밤〉이 만들어지기 이전에는 존재하지 않았다. 좀비는

살
고
싶
다
는
농
담

205

부두교의 주술사에 의해 주문에 걸려 조종당하는 상태를 의미했다. 조지 로메로는 좀비를 소재로 영화를 만들어야겠다고 결정한 뒤 어떻게 하면 보다 충격적일지에 관해 매일 회의를 열었다. 조지 로메로와 존 루소는 좀비라는 소재에 뱀파이어 신화, 시체를 파먹는 전통적인 악령인 구울의 이미지를 접목했다. 그렇게 몇 가지 설정이 탄생했다. 좀비는 살아난 시체다. 살아난 시체는 살아 있는 사람을 먹는다. 살아난 시체에 의해 공격당한 사람은 그 자신도 좀비가 된다. 살아난 시체는 어디까지나 시체이며 죽는 순간 당시의 트라우마에 지배당하고 있기 때문에 이를 죽이기 위해서는 뇌를 없애야 한다. 이미 사후경직이 진행된 이후이기 때문에 살아난 시체는 살아 있는 사람처럼 빠르게 움직이지 못한다.

조지 로메로가 만들어낸 가장 탁월한 설정은 바로 원인에 대한 부분이었다. 그는 시체가 왜 되살아나는가, 라는 질문에 대한 답변을 공란으로 남겨두었다(사실 초안에는 위성이 폭발하면서 발생한 방사능의 영향으로 시체가 살아난다는 설정이 있으나 영화를 만들면서 확정 짓지 않는 방향으로 바뀌었다). 관객의 궁금증이 폭발했다. 그러나 감독은 끝까지 답하지 않았다. 한계를 짓지 않았다는 게 더 어울리는 말일 것이다. 사실 감독의 생각에 이 영화에서 중요한 건 '좀비는 왜?'가 아니었다. 이 영화에서 중요한 건 '사람은 왜?'였다.

아무튼 원인을 미상으로 남겨둔 덕분에 〈살아 있는 시체들의 밤〉 이후로 만들어진, 그 별처럼 많은 수의 좀비 영화들이 저마다 서로 다른 기발한 방식으로 설정을 지어낼 수 있었다. 바이러스 때문에, 미친 과학자의 연구 때문에, 새로 만들어진 해충 방지기 때문에, 인구수를 조절하려는 대자연의 결정으로, 심지어 특정 단어를 발음하면 좀비로 변한다는 설정에 이르기까지 말이다.

영화의 이야기는 간단하다. 시체들이 살아나 사람을 공격하고 생존자들이 작은 오두막에 모인다. 이들은 좀비에 저항하면서 힘겨운 하룻밤을 보낸다. 마지막까지 살아남는 데 성공한 단 한 명의 생존자는 이튿날 당도한 민병대에 의해 좀비로 오인되어 사살당한다.

희생자와 좀비를 연기하는 데 200명의 엑스트라가 동원되었다. 그러나 대부분 스태프나 영화를 찍는다는 이야기를 듣고 모여든 구경꾼들이었다. 영화는 매우 적은 돈으로 만들어졌다. 영화의 투자자는 세 명이었는데 그 가운데 하나는 동네 푸줏간 사장이었다. 그는 소를 도축하고 남은 부속품을 촬영 현장에 제공했다. 좀비들이 들고 다니는 사람의 내장은 전부 소의 것이었다. 좀비를 연기한 배우들이 먹는 건 초콜릿을 입힌 구운 햄이었다. 음악은 1959년 작품 〈외계에서 온 10대들〉의 음악을 EMI 뮤직 라이브러리에서 가져다 썼다.

〈살아 있는 시체들의 밤〉은 11만 달러를 들여 제작되었다. 영화가 공개된 이후 반응은 폭발적이었다. 처음에는 드라이브인 극장을 위주로 배급되었으나 곧 미국 전역으로 확대되었다. 《리더스 다이제스트》는 〈살아 있는 시체들의 밤〉을 보지 말 것을 강력하게 권하면서 이 영화가 결국 식인 풍습을 조장할 것이라 경고했다. 영화는 3천만 달러를 벌어들였다. 결과적으로 제작비 대비 263배에 이르는 수익이었다. 그러나 중요한 건 돈이 아니었다. 〈살아 있는 시체들의 밤〉은 이후 좀비와 디스토피아를 다룬 영화들에 있어서 가장 빼어나고 유일한 표준이 되었다.

인종 갈등이 극에 달한 시기였다. 두안 존스가 연기한 주인공 벤은 단연 언론의 관심사로 부상했다. 많은 사람들이 영화 속 벤의 죽음을 보면서 마틴 루터 킹의 암살 장면을 연상했다. 인종 갈등에 관련한 모든 종류의 질문에 관해 조지 로메로는 의도한 게 없다고 밝혔다. 각본 속의 벤은 그저 트럭을 운전하는 노동자 남성일 뿐 딱히 인종이 설정되어 있지 않으며, 두안 존스가 이 역할을 연기하게 된 건 그가 흑인이라서가 아니라 오디션에서 가장 연기를 잘한 배우였기 때문이라고 말했다. 그러거나 말거나 이 영화의 진짜 관심사인 인간의 이기심과 폭력성은 당대의 갈등 양상과 주인공이 흑인이라는 사실에 힘입어 더욱 효과적으로 두드러졌다.

이와 같이 좀비를 풍경에 두고 그 안에서 벌어지는 인간의 민낯을 통렬하게 고발하는 감독의 의지는 〈시체들의 새벽〉

⟨시체들의 날⟩을 거치면서 더욱 확고해졌다. 2005년에 만들어진 ⟨랜드 오브 데드⟩에서는 지상에서 좀비와 싸우며 고단하게 살아가는 빈민들과 고층 빌딩에서 안전하고 쾌적하게 살아가는 부자들의 모습을 대비하며 계급투쟁에 관한 이야기를 하기에 이른다.

이후 ⟨다이어리 오브 데드⟩와 ⟨서바이벌 오브 데드⟩를 내놓았으나 큰 반응을 이끌어내지는 못했다. 세상에는 어느덧 너무 많은 좀비 영화가 존재했다. 그는 쇠락한 듯 보였다. 새로운 관객에게 그는 그저 옛날의 영광을 잊지 못하고 한 번 더, 를 열망하며 같은 소재의 이야기를 계속해서 만들어내는 노장에 지나지 않았다.

나는 고인의 모든 것이 좋았다고 대충 눙치는 방식으로 이 훌륭한 사람의 인생을 능욕할 생각이 조금도 없다. 어떤 것은 좋지 않았다. 그러나 적어도 그는 결코 시시한 사람이 아니었다. 그는 영화를 그저 기계처럼 반복적으로 만들지 않았다. 그는 살아난 시체들보다 우리가 나은 게 대체 무엇인지 반문하며 매번 그에 걸맞은 성찰을 보여주었다. 제발 우리 자신을 돌아볼 것을, 우리가 무관심과 이기심, 그리고 무엇보다 부족한 관용으로 인해 스스로를 좀비보다 못한 무언가로 망치고 있음을 오랫동안 외쳐왔다.

조지 로메로는 절대 멈추지 않았다. 조지 로메로는 신작 〈로드 오브 데드〉를 준비하던 중 세상을 떠났다. 이 영화는 남은 사람들에 의해 완성돼 공개될 예정이다. 그는 늘 제목에 'dead'가 들어간 영화를 만들면서도 한결같이 '사람이 사람이기 위해 필요한 조건들'에 대해 이야기해왔다. 그는 위대한 감독이었다. 선생님 보고 싶습니다.

가면을 벗어야 하냐는

질문

청년으로부터 질문을 받았다. 여성이다. 주변에 사람이 많다. 그런데 정작 자신은 언제나 가면을 쓰고 살아간다. 상대가 듣고 싶어 하는 말만 하고 있다는 생각이 든다. 바꾸고 싶다. 그런 이야기였다.

하지만 상황에 맞는 가면을 쓸 줄 아는 건 소중한 능력이다.

어렸을 때는 영원히 청년일 줄 알았다. 자연스레 주변에도 비슷한 친구들이 모였다. 낡고 부패한 것들과 우리와의 전쟁이었다. 언제나 그런 작당을 했다. 눈에 보이는 한국 사회의 소위 어른스러움이란 한마디로 엉망진창이었다. 무례하고 음험하고 타락했다. 의전과 허례허식이 없으면 굴러가지 않는 허무맹랑한 것이었다. 말 그대로 아무런 의미를 찾을 수 없는 규칙들을 한 무더기 만들어놓고 반드시 따르도록 강요했다. 규칙이 많을수록 그걸 강요하는 측의 권위는 올라갔다. 어른의 권위란 쓸모없는 규칙 천 가지를 멋대로 만

들어 그걸 지키는지 지키지 않는지 감시하고 타박하는 방식
으로 간신히 유지되는 것이었다.

입만 열면 언뜻 듣기에 근사하거나 쌀로 밥 짓는 하나 마나
한 이야기를 늘어놓으면서 행동은 개차반이었다. 그게 가장
가증스러웠다. 거친 사람이든 유약한 사람이든 교양 있는
사람이든 천박한 사람이든 상관없다. 일관성만 있으면 된
다. 사람은 다양하니까. 그런데 왜 말과 행동이 다르냐는 것
이다. 참을 수가 없었다.

그래서 우리는 우리끼리 선언했다. 선언 이름도 있는데 창피
해서 도저히 옮길 수가 없다. 아무튼 요는 생각하는 대로 쓰
고 쓰는 대로 행동하자는 것이었다. 최소한 나는 그렇게 받
아들였다. 서로 일하는 분야가 다르다 보니 정작 의도했던
바는 조금씩 차이가 있었던 것 같다. 상관없다고 생각했다.

아무튼 나는 그렇게 살았다. 십 년 가까이 그랬다. 빤히 현실
에 존재함에도 불구하고 단지 불편하다는 이유로 아예 언급

자체를 하지 않으려는 일들에 대해 적극적으로 썼다. 우리 편은 그래도 되고 남의 편은 그렇게 하면 안 된다고 욕하는 이들을 조롱했다. 현실에서 결코 적용된 적이 없고 앞으로 도 적용될 일이 없는 종류의 사이비 도덕을 만들어 우주 보안관마냥 타인을 심판하고 스스로 우월하다 착각하는 인터넷 구루 패거리들과 싸웠다. 자신의 삶에는 티끌만큼의 흠결도 없다는 듯 결코 지킬 수 없는 기준을 내세워 피해자에게 피해자다움을 요구하는 이들에게 날을 세웠다.

모든 글은 내 일상을 사례로 들었다. 되도록 예의를 차리지 않고 직설적으로 말했다. 내용에 반박할 수 없는 이들이 주로 태도를 문제 삼는다는 걸 비웃기 위해 태도 따위는 신경 쓰지 않았으며, 기고를 하든 게시판에 쓰든 SNS에 공유하든 글을 쓸 때는 반드시 실명을 사용했다. 실명으로 쓸 수 없는 글이란 존재해선 안 됐다. 슬픈 이야기든 웃기는 이야기든 자폭하는 이야기든 어렵고 불편한 이야기든 반드시 실명이어야만 했다. 글을 쓸 때는 반드시 벌거숭이여야만 한다는 것. 위악이었다. 하지만 상관없었다. 그게 나 자신과의 약속이었다.

시간이 흘렀다. 나는 더 이상 그렇게 하지 않는다. 실명으로 쓰고 싶지 않은 이야기는 그냥 쓰지 않는다. 내용만큼이나 태도도 중요하다고 생각한다. 마음에 맞지 않는 사람을 만나도 전처럼 드러내놓고 싫어하지 않는다. 나는 웃는다. 비굴하게 웃을 때도 있고 상냥하게 웃을 때도 있다. 나는 이제 상황에 맞는 가면을 쓴다.

옳다고 생각하는 것을 위해 선언을 해도 좋고 맹세를 해도 좋으며 실험을 해도 좋다. 하지만 그걸 실천하려고 삶을 거는 건 무식한 일이다. 슬픔을 나누면 행복이 되거나 최소한 슬픔이 쪼개어질 수 있다고 말한다. 하지만 현실에서 슬픔을 나누면 약점이 된다. 옳다고 생각하는 걸 실험하기 위해 실명으로 자기 삶을 공유해선 안 된다. 나는 10년 동안 그렇게 살았다. 그 기간 동안 썼던 글 가운데 일부가 파편처럼 잘게 쪼개어져 실제 의미나 맥락이 제거된 상태로 돌아다닌다. 그리고 나를 폄훼하고 욕하기 위한 목적으로 사용된다.

예전 같았으면 내게 질문한 청년에게 대답했을 것이다. 가면을 벗고 솔직하라고 말이다. 매사에 벌거숭이로 날것 그대로의 자신을 드러내는 일은 숭고하고 옳은 일이며 세상을 바꾸는 데 보탬이 된다고 이야기했을 것이다. 하지만 이제는 그렇게 말하고 싶지 않다.

사람들은 아프기 전과 후의 내가 다르다고 말한다. 나는 뭐가 달라졌다는 것인지 조금도 모르겠다. 하지만 글로 써서 말하고 싶은 주제가 달라진 것만큼은 사실이다. 나는 언제 재발할지 모르고, 재발하면 치료받을 생각이 전혀 없다. 항암은 한 번으로 족하다. 그래서 아직 쓸 수 있을 때 옳은 이야기를 하기보다 청년들에게 실질적인 도움이 될 수 있는 말을 남기고 싶다.

회복한 이후에 쓴 모든 글이 그랬다. 나와 같은 시행착오를 하지 않기를 바라고 불행하거나 외롭지 않기를 바란다. 안 그래도 상처받을 일투성인 세상에 적어도 자초하는 부분은 없기를 바란다. 청년이라는 이름으로 어른들의 사사로운 이익에 헐값으로 팔려 다니지 않기를 바란다. 확실히 말한다. 너 혼자서는 세상 못 바꾼다. 청년이 세상을 바꿀 수 있다는 근사한 수사에 현혹되지 말아라. 마케팅이다. 하나의 의견이 공론화의 과정을 밟고 생각이 전혀 다른 집단 사이에 합의를 거치는 데에는 많은 노력이 따른다. 그마저도 합의안이라는 것이 누더기일 가능성이 크고, 누더기에 다른 누더기를 보태 조금이라도 세상을 바꿀 수 있는 힘을 가지기까지는 굉장한 시간이 걸린다.

그러니까 그 가면을 버려서는 안 된다. 때와 장소에 알맞은 가면을 가려 쓸 줄 안다는 건 돈을 주고도 배우기 어려운 능력이다. 전혀 중요하지 않은 사람들 앞에서 본연의 있는 그대로를 강박적으로 드러내서 오해와 구설수를 살 필요가 없다. 별난 사람 취급을 받을 이유도 없다.

가면을 쓰는 건 부끄러운 일이 아니다. 가면 쓰고 살아가는 다른 이들이 부조리하고 부패해서 그렇게 사는 게 아니다. 더 오래 버티기 위해 그러는 거다. 한국은 청년이 청년으로 살아가기 어려운 공간이다. 지금만 그런 게 아니다. 원래 그랬다. 어제까지 청년이었던 사람들이 지킬 것이 생기면 돌변한다. 그리고 반드시 해야 할 것들과 알아야 할 것들, 거쳐야 할 것들을 알려주는 대신 자신이 겪었던 가장 무의미한 형태의 부조리를 요즘 청년들은 피하고 싶어 한다고 타박한다.

한국만큼 청년의 치기 어림이 쉽게 공격당하는 나라는 없다. 한국만큼 청년의 시행착오가 용서받지 못하는 나라는 없다. 한국만큼 청년이라는 말이 염가로 거래되는 나라는 없다. 밥벌이를 하며 살아남아 세상을 바꿀 주체가 되려면 끝까지 버텨야 한다. 그러니까 가면을 써라.

다만 가면을 쓴 채로 계속 살아갈 수는 없다. 그러다가는 미칠지도 모른다. 가면을 쓰고 있지 않아도 좋은 친구들을 만들어라. 그런 친구는 많을 필요가 없다. 사실 많을 수도 없다. 간혹 인맥을 주식 투자하듯 관리하는 사람들을 보게 된다. 그럴 필요는 없다. 그런 사람들은 언젠가 반드시 후회한다. 내게는 가면을 벗고 있어도 좋은 친구들이 세 그룹 정도 있다. 서로 성격도 생각도 하는 일도 다른 사람들이다. 거기서는 가면을 쓸 필요가 없다. 오랫동안 버티면서 언젠가 세상을 바꾸고자 하는 의지가 있다면 그 친구들과 모색하면 된다.

그리고 가장 중요한 것. 가면 안의 내가 탄탄하지 못하다면 가면을 쓰든 안 쓰든 아무 차이가 없다. 비빌 구석이 필요하다. 생각의 기준이 필요하다는 것이다. 등대 노릇을 해줄 어른을 만나 지혜를 빼먹어라. 물론 어려운 일이다. 나는 그런 어른을 갈망했다. 하지만 그런 어른을 식별할 밝은 눈이 없었는지 아니면 단지 운이 없었는지 평생에 인연이 없었다. 그럴 때는 이미 죽은 어른의 글에 기대도 좋다. 나는 그렇게 했다. 여의치 않으면 결코 닮고 싶지 않은 최악의 어른을 찾아내 그의 인생과 나의 선택들을 비교하며 늘 경계하는 것도 훌륭한 선택지다. 부디 청년들이 버거운 원칙이나 위악으로 스스로를 궁지에 몰지 않기를 바라며 이 글을 쓴다.

나와 같은 시행착오를 하지 않기를,
불행하거나 외롭지 않기를 바란다.

누구나 알지만

누구도 모르는 이름

어렸을 때부터 괴물에 관심이 많았다. 매혹되어 있었다. 메리 셸리의 『프랑켄슈타인』을 읽은 이후로 늘 그랬다. 어머니는 왜 만날 괴물만 들여다보고 있느냐며 핀잔을 주고는 했다. 그러거나 말거나 유년 시절의 내가 언제나 사랑했던 건 모두 괴물이었다.

연민이었는지 압도되었던 것인지 모르겠다. 그들이 왜 세상과 섞이지 못하고 이웃으로 인정받지 못하는지에 의문을 가졌던 것 같다. 아닌 게 아니라 드라큘라 백작이 트란실바니아를 떠나 영국으로 오려 했던 것도 프랑켄슈타인의 괴물이 눈먼 노인과 소녀에게 이끌렸던 것도 결국 사람들과 섞이고 싶었기 때문이다. 드라큘라는 사람의 피를 빨지 않느냐고. 괴물은 먹고살기 위해 피를 빨지만 사람은 욕심을 채우기 위해 다른 사람의 피를 빨고 산다. 그것도 훨씬 더 많은 사람을 말이다. 누가 진짜 괴물이란 말인가.

괴물에 열광하면서 속성뿐만 아니라 외모와 세계관에도 탐닉했다. 그리고 성공적인 이야기를 위해 가장 필요한 건 영웅이 아니라 훌륭한 괴물이라고 확신했다. 메두사 없는 페르세우스 이야기는 들으나 마나고 다스 베이더 없는 스카이워커 연대기는 빈 수레와 같으며 조커 없는 배트맨 이야기도 김이 빠진다.

여러분은 인류가 만들어낸 가장 성공적인 괴물 캐릭터가 뭐라고 생각하는가. 아마 다음의 아이디어를 들으면 무엇에 관한 이야기인지 금방 알아챌 수 있을 것이다.

댄 오배넌과 로널드 슈세트가 "사람을 숙주로 삼아 알을 낳는 외계인이 있는데 이게 자라서 가슴을 뚫고 나온다"는 아이디어를 떠올렸을 때만 하더라도 이 괴물 아이디어가 무려 40년 동안 계속될 굉장한 이야기가 되리라는 걸 아는 사람은 아무도 없었다. 데이비드의 대사처럼, "네 시작은 미약하되 나중은 창대하리라(욥기 8장 7절)". 에일리언 이야기다.

⟨에이리언: 커버넌트⟩는 딱히 재미있는 영화가 아니지만 이 거대한 프랜차이즈 속의 괴물을 설명하기 위해 언급될 수밖에 없는 작품이다. 이건 가장 나중에 나온 에일리언 영화인 동시에 에일리언 연대기에서 가장 앞부분에 위치한 영화다. 물론 시간순으로 ⟨프로메테우스⟩가 앞서 있지만 여기에는 제노모프가 등장하지 않는다. 제노모프는 리들리 스콧의 ⟨에이리언⟩에 등장했던 첫 번째 에일리언이다. ⟨에이리언: 커버넌트⟩는 바로 그 제노모프의 탄생을 다룬다. 이건에일리언 연대기에서 중요한 의미를 갖는다. 기독교 세계관에서 최초의 인간이 아담인 것처럼 이 영화는 최초의 에일리언, 즉 제노모프가 어떻게 창조되었는지 다루는 창세기인 것이다.

제노모프는 우리가 만난 가장 매혹적이고 파괴적인 괴물이다. 에일리언의 외모는 그간 제임스 카메론과 데이비드 핀처, 장 피에르 주네의 속편들을 거치면서 여러 가지 버전으로 변형되었다. 데이비드 핀처의 ⟨에이리언 3⟩에서는 개를 숙주로 해서 만들어진 도그 에일리언이 등장한다. 제작사

편집 버전에서는 개가 아니라 소를 숙주로 해서 태어나기 때문에 카우 에일리언이라고도 분류된다. 가장 대중적으로 알려진 건 제임스 카메론이 연출한 〈에이리언 2〉 버전이다. 이 버전의 에일리언은 워리어라는 이름으로 알려졌으며 머리 부분에 연질의 보호막이 존재하지 않는다.

리들리 스콧의 1편에 등장하는 첫 번째 에일리언, 제노모프는 H. R. 기거의 일러스트 디자인을 충실히 따랐다. 당시를 떠올려보자. 이십세기폭스사는 〈스타워즈〉의 기록적인 흥행 이후를 이끌 새로운 SF 영화가 필요했다. 댄 오배넌과 로널드 슈세트의 신선한 아이디어가 있었다. 그리고 리들리 스콧이라는 젊고 진취적인 연출자까지 있었다. 끝내주는 카피도 가지고 있었다. 우주에서는 아무도 당신의 비명을 들을 수 없다.

없는 건 우주 괴물의 디자인이었다. 리들리 스콧은 에일리언의 디자인이 가장 중요하다고 생각했다. 그러다가 기거의 화보집에서 제노모프를 발견했다. 리들리 스콧은 제노모프와 엔지니어((프로메테우스)가 만들어지기 전까지는 '스페이스 자키'라는 이름으로 알려졌다)의 디자인을 기거의 화보집에서 그대로 가져와 재현했다. 결국 제노모프와 엔지니어라는, 이 시리즈의 가장 중요한 두 가지 키워드가 모두 기거에게서 나온 것이다. 기거가 없이는 에일리언도 없었다. 기거는 세상을 떠나기 전까지 모든 시리즈에서 에일리언을 디자인했다. 〈에이리언: 커버넌트〉는 기거가 직접 디자이너로 참여하지 않은 첫 번째 에일리언 영화이기도 하다. 그의 어둡고 아름다운 비전에 뒤늦은 명복을.

기거가 디자인하고 리들리 스콧이 형상화한 제노모프는 직립보행을 하고 머리 부분을 연질의 보호막이 감싸고 있으며 손가락은 다섯 개인데 엄지를 제외하고 두 개씩 붙어 있다. 〈에이리언: 커버넌트〉에는 가장 최초의 제노모프가 등장한다. 이건 꽤 감동적인 장면이다. 이제 막 태어난 가장 최초의 제노모프가 자신의 창조주인 데이비드와 교감하는 장면 말이다.

전작을 떠올려보자. 데이비드는 줄곧 자신의 창조주를 경외했다. 〈프로메테우스〉의 첫 번째 시퀀스는 데이비드가 〈아라비아의 로렌스〉를 보면서 대사를 외우고 따라하는 장면이다. 그는 자신의 창조주, 인간을 모방한다. 그러나 〈프로메테우스〉의 후반부에 이르러 인간이 얼마나 나약하고 한심한 존재인지 지각하면서 자신이 훨씬 더 나은 창조주가 될수 있다는 확신에 사로잡힌다. 그 결과가 〈에이리언: 커버넌트〉다. 데이비드는 드디어 자신만의 피조물을 만들어낸다. 이 장면만으로도 〈에이리언: 커버넌트〉는 제 몫을 다했다. 데이비드는 새로운 창조주이고 에일리언은 피조물이며 리플리는 매번 들이닥치는 대홍수이고 웨일랜드~유타니는 방주다.

〈에이리언: 커버넌트〉는 〈프로메테우스〉의 속편으로도, 〈에이리언〉의 전편으로도 부족해 보인다. 재미없는 영화다. 설명되어야 하는 것들이 설명되지 않고 보여줘야 하는 것들이드러나지 않는다. 이를테면 왜 첫 번째 제노모프는 이후의 제노모프처럼 '체스트 버스터'의 단계를 거치지 않고 곧바로 성체인 제노모프 미니미의 모습을 하고 있는가.

그 모든 의문점들에도 불구하고 누군가는 데이비드와 첫 번째 제노모프가 교감하는 장면만으로 충분히 만족할 것이다. 사실 〈프로메테우스〉가 등장하기 전까지, 리들리 스콧이 연출한 새로운 에일리언 영화를 극장에서 볼 수 있을 것이라 생각해본 적이 없다. 그러므로 이 이상의 바람은 말 그대로 욕심일지 모른다.

제노모프는 영화 역사상 가장 성공적인 괴물이다. 괴물은 돈이 된다. 제노모프처럼 성공적인 괴물은 돈이 될 뿐만 아니라 장르가 되고 산업이 된다. 모든 괴물이 성공하는 건 아니다. 실패한 괴물은 조롱거리가 된다. 하지만 제노모프처럼 성공적인 괴물도, 실패하여 웃음거리가 된 괴물도 똑같이 피해갈 수 없는 게 있다. 실제 괴물을 연기하고 있는 사람에 관한 무관심 말이다. 2000년대 전까지 모든 괴물 캐릭터는 사람이 직접 연기했다. 그렇다. 거기 사람이 있었다.

우리는 우리가 사랑했던 모든 괴물들을 알고 있다. 그러나 그 괴물을 연기한 배우들은 까맣게 잊고 말았다. 혹은 애초부터 관심이 없었다. 누구나 사랑했지만 누구도 알지 못하는 사람들. 기록되지 못한 사람들. 이상하리만치 쓸쓸한 말년을 보냈던 사람들. 정말 하나같이 외로운 삶을 살았던 사람들. 그에 대한 이야기를 꼭 남기고 싶었다. 그 이름들을 기록하고 싶다. 이 이름들은 기록될 가치가 있다. 이건 평생 동안 괴물에 매료되어 살았던 자가 그들에게 바치는 소박한 헌사다.

우리는 〈스타워즈〉 시리즈의 다스 베이더를 알고 있다. 그러나 다스 베이더를 연기한 데이비드 프라우스는 기억하지 못한다. 우리는 〈나이트메어〉 시리즈의 프레디 크루거를 알고 있다. 그러나 프레디 크루거를 연기한 로버트 잉글런드는 기억하지 못한다. 우리는 〈프랑켄슈타인〉에서 박사가 만들었던 괴물을 알고 있다. 그러나 최초로 프랑켄슈타인의 괴물을 연기한 찰스 오글은 기억하지 못한다. 우리는 우리에게 가장 익숙한 모습의 해머영화사(Hammer Films) 작품 속

프랑켄슈타인의 괴물을 알고 있다. 그러나 해머 영화 속 프랑켄슈타인의 괴물을 연기한 보리스 칼로프는 기억하지 못한다. 우리는 〈오페라의 유령〉을 알고 있다. 그러나 오페라의 유령을 연기한 론 채니는 기억하지 못한다. 우리는 〈늑대인간〉을 알고 있다. 그러나 늑대인간을 연기한 론 채니 주니어는 기억하지 못한다. 우리는 〈헬레이져〉의 핀헤드를 알고 있다. 그러나 핀헤드를 연기한 더그 브래들리는 기억하지 못한다. 우리는 영화 속 최초의 뱀파이어인 노스페라투를 알고 있다. 그러나 〈노스페라투〉에서 노스페라투를 연기한 막스 슈렉은 기억하지 못한다.

우리는 모두 〈에이리언〉 시리즈 속의 제노모프에 대해 알고 있다. 그러나 정작 저 무겁고 덥고 불편했던 제노모프의 의상을 처음으로 입고 연기했던 배우, 보라지 바데조는 기억하지 못한다. 이 글이 읽히는 동안만이라도 그들의 이름이 다시 기억되길. 소리 내어 발음되어지길. 내가 사랑했던 그 모든 괴물들에게 바친다.

보통사람

최은희

최은희는 1965년 3월 9일 강원도 삼척시 도계읍에서 태어났다. 4형제 가운데 막내였다. 가장 나이가 많은 큰 언니와는 여덟 살 차이가 났다. 동해안 끝자락에 위치해 서쪽으로 태백산맥을 마주하고 있는 도계는 논보다 밭이 많고 밭보다 석탄 가루가 많았다. 본래 탄광으로 유명했다. 한때는 전국적인 탄광읍으로 연간 100만 톤의 무연탄을 생산했다.

이 지방이 대개 그렇듯 도계 또한 일교차가 심하고 겨울에 눈이 오면 허리까지 차올랐다. 눈은 언제나 골칫거리였다. 전국에서 가장 빠른 첫눈이 매년 이 지역을 찾았다. 한번 내리기 시작하면 그칠 줄을 몰랐다. 까불고 좋아하는 아이들을 바라보며 어른들은 혀를 찼다.

도계에 사는 사람이라면 광부거나, 광부를 상대로 하는 일을 하거나 둘 중 하나였다. 최은희의 부모님도 그러했다. 하지만 아버지는 그녀가 어렸을 때 일찍 세상을 떠났다. 남은 건 어머니 혼자였다. 혼자 힘으로 4형제를 먹여 살려야 했다. 어머니는 도계 사람이라면 으레 할 선택을 했다. 그녀는 탄광으로 들어갔고, 그 억세고 꼿꼿한 성품으로 가족을 건사했다.

최은희는 타고나기를 상냥한 사람이었다. 한 번 본 사람과도 곧잘 마음을 터놓고 이야기할 수 있는 친구가 되었다. 그녀는 도계중학교와 고등학교를 졸업하고 곧바로 결혼했다. 당시에는 이른 결혼이 특별한 일이 아니었다. 상대는 큰 언니의 동창이었다. 소개받자마자 믿을 만한 사람이라고 생각했다. 함께 가정을 꾸리고 싶었다. 여덟 살 차이 신랑과 함께 그녀는 곧바로 생활 전선에 뛰어들었다.

그녀는 자신의 성실함에 놀랐다. 이른 아침부터 저녁 늦도록 일하기를 거르지 않았다. 그녀는 피곤한 줄 몰랐으며 주변 사람이 힘들어하면 먼저 나서서 일을 나누어 함께 도왔다. 쉬지 않고 일했고, 그러면서도 상냥함을 잃지 않았다. 사람들은 그런 그녀를 보며 본으로 삼았다. 근면·성실함은 그녀의 특징이자 특기가 되었다. 그건 일종의 훈장과도 같았다. 그러나 동시에 짐이기도 했다.

1986년과 1987년에 두 아이를 얻었다. 둘 다 남자였다. 경사였지만, 마냥 기뻐할 일도 아니었다. 식구가 늘면서 생계가 빠듯해졌다. 특히 둘째는 몸이 약했다. 병원에 가야 했고 약을 먹여야 했다. 당시 남편이 탄광에서 일하는 동안 그녀는 비디오 가게에서 일했다. 바람과는 달리 한국의 탄광산업은 계속해서 사양길을 걷고 있었다. 오가는 사람도 눈에 띄게 줄었다. 도계의 탄광에는 전처럼 생기가 돌지 않았다.

일시적인 불경기였다면 견딜 수 있었을 것이다. 그러나 불황을 모르고 발전 중이던 한국의 다른 분야들과는 달리 탄광업에 한해서만큼은 어떤 종류의 희망 섞인 전망도 찾아볼수 없었다. 결단이 필요했다. 마침내 첫째가 초등학교 3학년이 되던 해 울산으로 이사를 결정했다. 평생 나고 자라고 먹고 살아낸 곳을 떠나는 일이었다. 쉽지 않은 결정이었다. 하지만 열심히 하면 된다는 믿음이 그녀를 배신할 리 없다고 생각했다. 새로운 터전에서 그녀는 마음을 다시 단단히 잡아 붙들었다.

남편은 울산의 중공업 공장에 들어가 도장 일을 시작했다. 그녀는 미용실에서 조수로 일했다. 그러면서 밤에는 미용학원에 다녔다. 그녀의 성실함이 여지없이 빛을 발했다. 오래지 않아 그녀는 자격증을 손에 쥘 수 있었다. 그리고 자신의 미용실을 시작했다. 하루하루 바쁜 나날이었다. 그러나 고된 일상에 따른 작은 상처처럼 삶 또한 안정을 찾아갔다. 부모가 밥벌이에 매진하는 동안 아이들은 봄꽃처럼 자라났다. 큰아들이 몇 번 말썽을 부리기는 했지만 큰 무리 없이 모두 잘 커주었다.

좋은 일만 있을 수는 없는 일이다. 위기가 찾아왔다. 이혼을 하게 된 것이다. 남들 다 하는 이혼이라지만, 그리 가까운 이야기인 줄은 몰랐다. 그러나 그렇게 되었다. 삶이란 도무지 알 수가 없는 것이었다. 적어도 아들이 이미 결혼을 한 뒤라 마음에 부담은 덜했다. 그러나 허망한 건 어쩔 수 없었다. 아이들 아버지와는 원수가 되어 남남이 되었다.

그녀는 그렇게 주저앉을 수도 있었다. 그러나 최은희는 그럴 생각이 없었다. 그녀의 인생은 이제부터가 전성기였다. 그녀는 미용실을 정리했다. 그리고 가발 브랜드 회사에 입사했다. 말 그대로 미친 듯이 일했다. 휴가와 휴일은 그녀에게 없는 단어였다. 남의 일까지 도맡아 성실하게 해냈다. 그녀 없이는 회사가 제대로 굴러가지 않는 지경에 이르렀다. 결국에는 지점장이 되었다. 일반 사원으로 시작해 불과 3, 4년 만에 능력을 입증하고 지점장이 되는 건 전례가 없는 일이었다. 그녀가 지점장으로 일하는 동안 울산 영업소의 매출액은 여태 단 한 번도 달성해보지 못했던 수준까지 치솟았다.

몸에 이상이 있다는 걸 직감한 건 2018년 여름이었다. 체력이 급격하게 떨어졌다. 게다가 자꾸 코피가 났다. 컨디션이 좋지 않았다. 단지 나이 탓으로 돌리기에는 문제가 좀 더 커 보였다. 병원에서는 갑상선 관련 질병으로 진단했다. 갑상

선의 기능이 저하되면 그럴 수 있다는 것이다. 그러나 처방을 받고 약을 먹어도 나아지지 않았다. 그녀는 울산의 대학병원을 찾아갔다. 조직 검사 끝에 나온 정확한 병명은 악성림프종이었다. 혈액암이다. 말기였다.

병원에서는 70퍼센트 이상 완치할 수 있다며 자신을 보였다. 그녀는 의료진의 말을 믿고 치료에 전념하기로 했다. 3일 동안 입원해서 항암 주사를 맞는다. 그리고 집으로 돌아가 4주 동안 안정을 취한다. 이게 치료의 기본적인 과정이다. 경과가 좋으면 여섯 번이나 여덟 번으로 끝이 난다. 그녀는 이걸 1년 동안 계속해서 반복했다. 결국 조혈모세포 이식까지 받았다. 그러나 도무지 끝이 날 줄 몰랐다. 암세포가 줄어들지 않았다. 의료진은 말을 바꿨다. 2개월 남았으니 호스피스 병동을 준비하라는 것이었다.

손과 다리에서 힘이 다 빠져나갔다. 나는 아직 죽지 않았고 살 수 있다고 외치고 싶었다. 이런 식으로 너는 죽는다는 말을 듣게 될 줄은 몰랐다. 그건 마치 내일 비가 온다는 무미

건조한 예보와도 같았다. 해가 뜬다고 하지 않았나. 70퍼센트의 확률로 해가 뜬다고 하지 않았느냔 말이다. 무책임하다고 생각했다. 그녀는 이렇게 주저앉을 수 없었다. 서울에 있는 대형 병원의 임상 시험에 지원했다. 모든 조건이 맞았다. 그렇게 임상 시험에 들어가기로 했다. 전화를 받은 건 울산으로 돌아가는 차 안에서였다. 이전 병원에서의 항암 약물이 아직 체내에 남아 있는 것으로 분석됐다. 그러니까 아쉽지만, 임상 시험에 참여할 수 없다는 이야기였다. 좋다. 하지만 아직은 포기할 수 없다.

내가 최은희 씨를 만난 건 이즈음이다. 그녀는 병원을 옮겨서 치료 중이었다. 나와 같은 병이었다. 큰아들이 생면부지내게 부탁을 해왔다. 부디 병문안을 와달라는 것이었다. 그녀를 만난 일에 관해서는 앞서 쓴 바 있다. 그녀는 환하게 웃었고 나는 기뻤다. 같은 병을 앓았기 때문에 병세가 어느 정도인지 가늠할 수 있었다. 그래서 그녀가 회복하리라 믿어 의심치 않았다. 우리가 만난 전후로 병세가 극적으로 호전되었다. 마침내 약이 듣기 시작했고, 몸 안에 암세포가 거의 사라졌다. 원수가 되어 헤어졌던 남편을 비롯해 다시 하나로 뭉친 가족이 그녀 곁에 머물고 있었다. 그게 너무 보기 좋았다.

울산으로 돌아가 쉬면서 다음 항암 스케줄을 기다리는 동안 일이 생겼다. 코로나19 사태로 인해 병원의 일정이 한 주 뒤로 밀렸는데 그 일주일 동안 병세가 악화된 것이다. 여전히 버티고 있던 암세포 하나가 다시 말썽을 부려 온몸에 퍼져나갔다. 병원으로 돌아온 그녀는 일반 병실에서 무균실로 옮겨졌다. 무균실로 옮겨졌다는 건 항암 이후 면역력이 극도로 저하된 상태에서 합병증이 왔다는 의미다. 폐렴이었다. 호전될 기미가 보이지 않았다. 의식이 혼미한 상태에서 그녀는 중환자실로 향했다.

최은희 씨는 지난달 30일 세상을 떠났다. 향년 55살. 부처님 오신 날이었다. 가족과 친지들이 곁을 지켰다. 한마디씩 건네는 동안 그녀는 눈을 뜨거나 말을 하지 못했다. 그러나 눈물을 흘렸다. 발인은 울산의 하늘공원에서 5월 2일 이루어졌다. 그녀의 가족과 직장 동료들이 빼곡하게 모여 마지막 길을 함께했다.

그녀는 유명한 사람이 아니다. 정치인도 아니고 영웅도 부자도 아니었다. 정파성이 없으면 회색으로 분류되는 지금 시대에 그녀에게는 아무런 색깔이 없었다. 그냥 보통사람이었다. 평생 사사로이 남을 속이지 않고 맡은 일에 성실하며 타인을 배려했던 보통사람이었다. 노력한 만큼 거둔다는 믿음을 저버리지 않고 결코 좌절하는 법 없이 단 한 번도 쉰적이 없었던 보통사람이었다. 그리고 자식을 누구보다 아끼고 사랑했던 보통의 어머니였다. 보통사람 말이다. 그런 보통사람 최은희의 삶에 대해 꼭 남기고 싶었다. 이건 중요한 일이다.

최은희 님의 명복을 빕니다.

순백의

피해자는 없다

이야기에 앞서서 장면 하나를 함께 나누고 싶다.

평화롭게 땅을 일구며 살아가는 농민 부락이 있다. 어느 날 도적 떼가 들이닥친다. 사람을 죽이고 재물과 곡식을 빼앗는다. 매번 아무것도 남기지 않고 털어가 버리니 농민들은 살아갈 수가 없다.

장로들이 모여 대책을 논의한다. 결국 사무라이를 고용해 도적 떼를 물리쳐보자는 계획을 세운다. 없는 살림에 돈을 모아 일을 부탁할 사무라이를 찾아 떠난다. 돈이 부족해서 일이 뜻대로 되지 않는다. 하지만 농민을 돕는 일이라는 대의가 사무라이들을 움직인다. 우여곡절 끝에 사무라이가 모인다. 일곱 명이다. 7인의 사무라이가 마을에 도착한다. 사무라이들은 도적 떼에 맞서 어떻게 싸우면 좋을지 농민들을 가르친다. 전략을 세우고 부족한 물자를 충당하기 위해 노력한다. 무엇보다 무기를 확보하기 위해 머리를 굴린다.

그러다 사무라이 일행 가운데 한 명이 한가득 숨겨져 있는 무기를 발견한다. 사무라이들은 격노한다. 그것은 그간 농민들이 떠돌이 사무라이들을 죽이고 빼앗은 물건이기 때문이다. 당시 말로 오치무샤라고 한다. 패잔병, 낙오 무사라는 의미다. 전장에서 지고 떠돌이 신세가 된 사무라이들은 곧잘 농민들의 표적이 되어 죽임을 당했다.

격분한 사무라이들이 일을 그만두고 돌아가겠다고 한다. 심지어 자신은 낙오 무사가 되어 죽창에 쫓겨보았다면서 이 마을 놈들을 베어버리고 싶어졌다는 말도 나온다. 그때 미후네 도시로가 콧방귀를 낀다. 그리고 소리치기 시작한다. 그는 사무라이 무리들 가운데 유일한 농민 출신이다.

"거참 가관이로군. 너희들 농부에 대해 단단히 착각하고 있는 모양인데. 걔들이 무슨 부처인 줄 알아? 웃기지들 말라고, 농부만 한 독종이 또 있는 줄 알아? 쌀 내놓으라고 해봐, 보리 내놓으라고 해봐! 다 없다고 할걸? 하지만 있지, 없는 게 없을걸? 마룻바닥 뜯어내고 파보시지그래? 거기에 없다

면 다음은 헛간을 뒤져봐. 나오고말고. 암, 나오고말고. 벽
속에 숨겨놓은 쌀, 소금, 콩, 술, 저기 한 번 가보란 말이야!
거기에 다 숨겨놓았다고! 선량한 얼굴을 하고선 넙죽거리면
서 거짓말은 잘도 치지! 모든 걸 속이려 들어. 어디 전쟁 났
단 소리를 들으면 죽창을 만들어 들고선 오치무샤 사냥을
하지! 내 말 잘 들어. 농부란 말이지. 농부란! 참을성 없고! 혼
자선 아무것도 못 하고! 울보, 심술쟁이, 머저리에, 살인자라
고! 제기랄, 웃겨서 눈물이 다 나오는군. 하지만 말이야. 하
지만 도대체 그런 괴물을 만들어낸 게 누구야. 누구냔 말이
야? 네놈들이라고, (전쟁을 일삼은) 바로 사무라이라고! 이 나
쁜 자식들아!"

이야기를 끝까지 들은 사무라이들은 빠르게 뉘우친다. 마
을 사람들과 단합한 7인의 사무라이는 도적 떼와 결전을 치
른다. 그리고 마침내 마을을 지켜낸다. 구로사와 아키라의
〈7인의 사무라이〉는 그런 영화다.

'순백의 피해자라는 환상'이라는 글을 기고한 일이 있다. 애

초 세월호 유가족에 대한 비난 여론을 보며 만든 개념이었다. 사람들은 '순백의 피해자'라는 판타지를 가지고 있으며, 이 순결 판타지에 의하면 어떤 종류의 흠결도 없는 착하고 옳은 사람이어야만 피해자의 자격이 있다는 것이다. 그러한 생각에 균열이 오는 경우 '감싸주고 지지해줘야 할 피해자'가 '그런 일을 당해도 할 말이 없는 피해자'로 돌변한다.

성 착취 텔레그램 사건은 엄청난 충격이다. '사람의 몸은 사거나 팔 수 없는 것이다'라는 말이 하나 마나 한 빤한 이야기로 치부되는 수준을 넘어, 더 이상 아무도 언급하지 않는 죽은 말로 전락했다.

처벌에 관해 한 가지만 짚고 넘어가자. 우리가 매사 우리 생각대로 양형을 정하고 단죄할 수는 없을 것이다. 법치 없는 정의는 반드시 세상을 망친다. 그렇기 때문에 지금 시점에 더욱 엄정한 처벌과 법적 제도 개선이 필요하다. 적어도 미성년자의 몸에 가해진 성범죄에 대해서는 예외 없는 무기징역이나 그에 준하는 형벌이 필요하다. 그렇게 양형 구조를

바꿔야 한다. 이런 명백한 경고 지점을 통과하고도 바꾸지
못하면 한국은 망한다.

수사가 완료되면 남성 가해자들이 저지른 이 끔찍한 범죄의
이면에 어떤 비뚤어진 심리가 있었는지 우리 사회가 함께
모여 고민하고 대화할 기회가 있으리라 생각한다. 지금 당
장 급한 건 피해자를 보호하는 일이다.

"스폰서 아르바이트를 하려고 했던 것 자체가 문제다", "일
탈 계정을 운영했다는 시점에서 이미 틀렸다"는 등의 말이
나온다. "내게 딸이 있다면 N번방 근처에도 가지 않도록 평
소 가르치겠다"는 교수도 나왔다. 어느 유튜버는 "N번방 피
해자들 잘됐다"는 영상을 제작해 공개했다. 피해자들의 신
상 정보를 추적하는 한편 조롱을 늘어놓는 사람들이 있다.

피해자들이 금전적 이익을 바라고 접근했다가 걸려든 것이
기 때문에 자업자득이라는 이야기다. 혹은 아주 순전한 형
태의 피해자는 아니라는 말이다. 얼마나 순수한 피해자인지

측정해보았더니 기준에 미달한다는 것이다. 그런 걸 측정할
수 있는 권능이 자신에게 있다는 것이다.

그런 사람들이 있다. 청년들은 조심해야 한다. 자신이 누군
가의 속내를 쉽게 측정할 수 있다거나 특히 순수성과 양심
을 평가할 수 있다고 말하는 사람을 주의해라. 자신이 속한
진영의 이익을 위해 멋대로 누군가를 천사로, 악마로 단정
하고 몰려다니며 소란을 피우는 자들. 우리는 정의롭다며
아무런 부끄러움을 느끼지 못하는 자들. 그런 자들을 피하
는 것만으로도 삶이 충분히 입체적이고 풍요로워질 수 있
다. 피해자는 그냥 피해자다. 착한 피해자도 나쁜 피해자도
존재하지 않는다. 그런 말은 불필요하다. 그런 말을 하는 자
에게는 자기 이익에 부합하는 숨은 의도가 반드시 있다.

착한 피해자도 나쁜 피해자도 존재하지 않는다고 말했다.
우리는 나쁜 피해자를 논하는 자들의 대척점에 착한 피해자
를 논하는 자들이 서 있다고 착각한다. 언뜻 피해자를 위하
는 것처럼 보이니 옳은 것이라고 생각한다. 과연 그렇게 보

이기는 한다. 하지만 그렇지 않다.

착한 피해자라는 말을 들여다보자. 피해자에 특정한 이미지와 표정을 덮어씌우려는 것은 한국 사회의 순결 콤플렉스와 밀접하게 연관되어 있다. 피해자에 성녀, 처녀, 가난한, 약한, 순결한 따위의 수사를 가져다 붙인다. 이건 운동권의 오래된 방식이다. 타인의 불행에 무감각한 대중의 동정과 관심을 사려는 이유였다. 이해는 하지만 이제는 바꿔야 한다. 어떤 의미에서는 더욱 큰 해악이다. 나쁜 피해자를 이야기하는 사람뿐만 아니라 착한 피해자를 이야기하는 사람도 진짜 피해자를 궁지에 몬다는 점에서 전혀 다를 게 없다.

착한 피해자라는 이미지에 천착하는 이들이 정말 해로운 이유는 피해자의 의사와 무관하게 행동하기 때문이다. 피해자를 지켜야 하고 위해야 한다고 말을 하지만 이건 정치적 수사에 불과하다. 정치적 대의명분과 피해자의 입장이 충돌할 때 피해자는 수단으로 전락한다. 이런 자들 때문에 단체의 이익이 아닌 피해자의 권익을 지키기 위해 분투하는 시민단

체와 운동가들이 동급으로 매도되어 손가락질당한다.

요컨대 트집을 잡고 깎아내려 나쁜 피해자를 만들어내려는 욕망만큼이나, 그 반대 지점에서 착하고 선량하기만 한 피해자의 이미지를 만들어내는 시도 또한 불쾌하고 해롭다는 것이다. 그들이 옳고 그름을 논하며 피해자의 진짜 얼굴은 천사라고, 아니 악마라고 다투는 동안 정작 현실의 피해자는 유기된다.

다시 말하지만, 순백의 피해자란 실현 불가능한 허구다. 흠결이 없는 삶이란 존재할 수 없다. 순백의 피해자라는 요건을 충족할 수 있는 사람은 아무도 없다. 그런 걸 측정할 수 있다고 자신하는 사람들 또한 언젠가 피해자가 되었을 때 순백이 아니라는 이유로 구제받지 못할 것이다. 그게 얼마나 무서운 일인지 인지하지 못하는 사람들이 많은 것 같다.

미후네 도시로의 일갈에 다른 사무라이들이 침묵할 수밖에 없었던 건 정의롭기 그지없다고 생각했던 자신들의 동기가 얼마나 얇고 편협한지 깨달았기 때문이다.

그들은 '불쌍한' 농민들을 돕기 위해 호기롭게 뭉쳤다. 그런데 선녀 같고 부처 같은 줄 알았던 농민들의 표정이 알고 보니 제각기 모두 다르다. 그들은 '사람'이다. 왜 선녀가 아니고 부처가 아니고 사람이냐며 난동을 부리려던 사무라이들은 미후네 도시로의 말에 귀를 기울인다. 높은 곳에서 낮은 곳을 내려다보며 피해자에게 어울리는 표정을 찾고 있었던 사무라이들은 그제야 정신을 차리고 전열을 가다듬는다. 그리고 함께 싸워 이긴다. 〈7인의 사무라이〉는 그래서 공정하고 아름다운 영화다.

불행을 동기로

바꾼다는 것

어렸을 때 엄마에게 사랑받지 못했기 때문에 성인 이후의 삶 또한 엉망이 되었다는 걸 깨달았으며, 원망과 증오 때문에 고통스럽다는 질문을 받았다. 그에 관한 답이다.

도처에 불행이 있다. 불행은 발견되는 것이고 행복은 주장되는 것처럼 보인다. 고통과 불행으로부터 시달려보지 않은 사람은 없다. 극복해보려 발버둥 쳐보지 않은 사람도 없다. 그것을 극복하는 사람과 끝내 주저앉는 사람 사이의 차이가 무엇인지 규명해보고 싶지만 쉽지 않다. 불행의 양과 질을 계산할 수 없으며 그것을 견뎌낼 수 있는 능력 또한 상대적이기 때문이다. 불행에 대응할 수 있는 단 하나의 검증 가능한 공식을 만드는 건 불가능하다는 이야기다.

배우자 때문에, 연인 때문에, 돈 때문에, 배신 때문에, 병 때문에 도무지 벗어날 수 없는 고통을 겪고 있다는 호소와 질문을 듣고 있으면 그래서 참담해진다. 나는 모른다. 나는 그

고통으로부터 당신이 당장 벗어날 수 있는 방법에 대해 알지 못한다. 도대체 그런 방법이 존재하는지조차 모르겠다.

그렇다면 적어도 얻을 수 있는 건 있을까. 과연 불행은 우리 삶의 동기가 될 수 있는가. 보다 나은 인간이, 보다 건강하고 풍요로운 삶으로 향하는 발판이 될 수 있는가.

프로이트는 당신의 현재와 미래의 삶이 과거의 불행으로 인해 이미 결정되어 있다고 말할 것이다. 아들러는 과거의 불행이란 곧 열등감이며 인간은 본질적으로 이를 극복하고자 노력하기 때문에 충분한 동기가 될 수 있다고 말할 것이다. 칼 포퍼는 프로이트와 아들러의 아이디어가 삶의 모든 문제를 트라우마 혹은 열등감 때문으로 퉁칠 수 있기 때문에 반증이 불가능하며 그러므로 둘 다 사이비 과학이라 말할 것이다. 사제는 신에게 기도를 하면 가능하다고 대답할 것이고 해병대 캠프 교관은 신체를 가혹하게 단련함으로써 이룰 수 있다 단언할 것이다.

질문자는 프로이트의 말을 경청한 것처럼 보인다. 과거의 특정한 불행에 의해 현재의 내가 결정되었고 돌이킬 수 없다면 앞으로의 불행에는 어떻게 대응해나갈 것인지 의문이다. 이 경우 영속적인 남 탓 이외에는 선택지가 없다. 어찌 됐든 나는 모두 가능한 설명이라고 생각한다. 불행으로부터 무엇을 얻을 수 있을지 누구도 확언할 수 없다. 다만 무엇을 얻게 되든 그것은 불행에 대처하는 방식과 태도에 의해 결정될 것이다. 그 이야기를 해보자.

젊은 날의 나는 대개 불행했고, 앞으로도 불행을 떨쳐낼 수 없다고 생각했다. 행복하고 싶다는 마음에 잠식되고 싶지도 않았다. 행복한 사람은 거만했고, 거만해서 재수 없었다. 그래서 어쩔 수 없는 불행에 잡아먹히지 않고 대응할 수 있는 방법에 관해 골몰했다. 나는 너무 오랜 시간 동안 불행에 시달린 이들이 어떻게 망가지는지 알고 있었다. 피해의식은 사람을 괴물로 만든다. 피해의식이 만든 괴물은 자신이 무슨 짓을 저지르든 이해받을 수 있다고, 아니 이해받아 마땅하다고 생각한다. 불행했으니까. 전혀 그렇지 않다. 나의 사연이 나의 책임을 대신 져주지는 않는다. 그런 괴물이 될 수는 없다. 그렇다면 불행과 함께 살 수 있는 논리를 만들어야 했다. 그렇게 했다.

> "상처는 상처고 인생은 인생이다. 상처를 과시할 필요도, 자기변명을 위한 핑곗거리로 삼을 이유도 없다. 다만 짊어질 뿐이다. 짊어지고 껴안고 공생하는 방법을 조금씩 터득할 뿐이다. 살아가는 내내 말이다. 그러고 보면 사람은 자기혐오로도 충분히 잘 살 수 있다. 물론 사랑으로도 살 수 있겠지만 그건 여건이 되는 사람에게 허락되는 것이다. 행복한 사람들이 모두 행복하세요 사랑하세요, 같은 말을 떠벌이며 거만할 수 있는 건 대개 그런 이유에서다. 나는 별일 없이 잘 산다."
>
> _『버티는 삶에 관하여』 중에서

이와 같은 해법은 놀랍게도 내게 잘 통했다. 오래전에 썼던 이 글을 다시 읽어보고는 사기를 친 게 아니라서 다행이라는 생각을 했다. 나는 힘들 때마다 상처는 상처고 인생은 인생이라는 말을 중얼거렸다. 그리고 정말 별일 없이 잘 살 수 있었다. 다만 그게 어떻게 가능했던 것인지에 관해서는 더 깊게 생각해보지 못했던 것 같다. 상처는 상처고 인생은 인생이며 불행을 피할 수 없으니 짊어지고 껴안고 공생하는 수밖에 없다는 선언은 신비한 힘을 가진 주술이나 공식이 아니다. 그런데 어떻게 개별의 삶에 영향을 줄 수 있었을까.

불행이란 설국열차 머리칸의 악당들이 아니라 열차 밖에 늘 내리고 있는 눈과 같은 것이다. 치명적이지만 언제나 함께 할 수밖에 없다. 불행을 바라보는 이와 같은 태도는 낙심이나 자조, 수동적인 비관과 다르다. 오히려 삶을 주체적으로 수용하고 주도하겠다는 의지다. 이는 불행을 겪고 있는 사람으로 하여금 상황과 자신을 분리할 수 있는 공간을 확보해준다. 당장의 감정에 파묻혀 스스로를 영원한 피해자로 낙인찍는 대신 최소한의 공간적, 시간적 거리를 두고 사건을 바라볼 수 있게 한다.

요컨대 객관적으로 불행의 인과관계를 바라볼 수 있게 돕는다는 것이다. 내가 세상에서 가장 불행하다는 건 어떤 의미에서 내가 가장 행복하다는 말보다 더 큰 오만이다. 세상에서 내가 제일 불쌍하고 제일 불행하고 제일 아프다는 생각에 둘러싸여 웅크리고 있는 게 쉽고 편할 수 있다. 그러나 그건 대개의 경우 주관적인 인상에 불과하다. 실제 벌어진 일과 다르다. 갈등이 발생했을 때 스스로를 가해자로 여기는 사람은 없다. 둘 다 피해자라고 주장한다. 정말 무슨 일이 벌어진 건지, 내가 무엇을 했고 무엇을 당했는지, 어떻게 대처할 것인지 생각하려면 객관화가 필요하다.

많은 이들이 자기 객관화가 중요하다는 걸 알고 있다. 주관적인 자기 감정에 심취해서 현실에서 스스로 무슨 짓을 하고 있는지 전혀 인지하지 못하는 사람들을 겪기 때문이다. 세상에서 가장 끔찍하고 역겨운 일들이 그런 이들에 의해 벌어진다. 불행에 관한 신비주의적 관점도 있다. 그들은 타인의 불행을 전염병처럼 취급하며 외면하는 방식으로 공동체를 위협한다. 오직 객관적으로 상황을 파악하려 애쓰는 사람만이 타인의 불행에 관해서도 진심을 다할 수 있다.

물론 자신과 주변 세계를 완전히 객관화해서 바라보는 일은 불가능하다. 어디까지나 객관적인 태도를 유지하려고 끊임없이 노력할 뿐이다. 문제는 이게 정말 어렵다는 점이다. 객관화에 성공한 경험이 계속해서 유지될 수 있다면 어려울 게 없다. 그러나 그렇지가 않다. 경험 값이 유지되지 않는다. 다음 레벨로 갈 때마다 경험치가 0으로 돌아가 있다고 상상해보라. 매번 처음 다짐한 것처럼 노력해야 하기 때문에 가장 중요하고 또 가장 어려운 것이다.

특히 젊은 날은 객관화가 어려운 시기다. 내 노력을 알아주는 조직도 어른도 드물다. 정당한 대가를 바랄 수도 없다. 타인에 관한 경험이 적어서 내 불행만이 굉장히 특별하고 잔인한 것처럼 느껴진다. 나이 든다고 상황이 개벽하지 않는다. 여전히 내 노력의 가격은 형편없고 나의 헌신에 고마움을 표하는 이도 없으며 때로는 폄훼하고 뒷말을 하고 진심을 곡해하는 사람들도 만나게 된다. 심지어 그게 내 가족일때 사람은 크게 좌절한다. 실제 내게 고통을 호소하는 이들의 대부분이 가족으로부터 이러한 경험을 하고 있다.

그와 같은 삶의 밑바닥에 내동댕이쳐져 있을 때 상황을 객관화하기란 쉽지 않다. 객관이라는 말조차 떠올릴 수 없다. 분노가 치밀어 오를 것이다. 부족해서가 아니다. 사람의 성향과 능력을 떠나 당연한 일이다. 괴롭고 화가 난다는 건 당신이 인간이라는 증거 이상도 이하도 아니다.

그래서 내 앞의 불행을 이기는 데 최소한의 공간적, 시간적 거리두기가 필요하다는 것이다. 자기 객관화가 가능하도록 마음의 여유를 가능한 빨리 회복할 수 있는 방법을 찾아야 한다는 것이다.

내게는 그것이 상처는 상처고 인생은 인생이라는 선언이었다. 당신에게 그건 다른 종류의 선언일 수 있고 어떤 표정일 수 있으며 특정한 여가 활동일 수도 있다. 아니면 말 그대로 달아오른 마음이 식을 때까지 시간을 보내며 버티는 방식일 수도 있다. 자신에게만 통하는 객관화의 방법이, 사건과 나를 분리시켜주는 방아쇠가 반드시 있다. 여러분은 그걸 찾아야 한다.

편지를 보내온 질문자에게 말하고 싶다. 나는 당신이 행복했으면 좋겠다. 행복해서 거만해졌으면 좋겠다. 하지만 지금과 같은 태도로는 어렵다. 그건 삶에 관한 해석이라기보다 스스로에게 거는 저주에 가깝다.

과거는 변수일 뿐 영원히 벗어날 수 없는 저주 같은 것이 아니다. 앞으로의 삶을 결정짓는 것도 아니다. 자기 객관화를 통해 불행을 다스린다면, 그리고 그걸 가능한 오래 유지할 수 있다면 나는 당신이 얼마든지 불행을 동기로 바꿀 수 있다고 확신한다. 보다 단단하고 건강한 사람이 될 수 있는 발판이 되리라 생각한다. 희망이 없다, 운이 없다, 는 식의 말로 희망과 운을 하루하루 점치지 말라. 희망은 불행에 대한 반사작용과 같은 것이다. 불행이 있다면, 거기 반드시 희망도 함께 있다. 부디 나보다 훨씬 따뜻하고 성숙한 방식으로 타인의 불행에 공감하며 함께 내일을 모색해나갈 수 있는 어른이 되길. 그리고 행복하길.

포스가 당신과 함께하기를

바란다는 말

왜 〈스타워즈〉를 좋아하냐는 질문을 오랫동안 들어왔다. 이 글은 그에 관한 답이다. 아닌 게 아니라 이 시리즈의 가치가 어디서 나오는지 궁금해하는 사람들이 많다. 한번 정리해볼 필요가 있다는 생각이 들었다. 짐작하겠지만 영화에 관한 이야기만은 아니다.

〈스타워즈〉의 진정한 의미는 광선검이나 검은 헬멧으로부터 나오는 게 아니다. 〈스타워즈〉는 재능 있는 젊은이를 질투하거나 두려워할 것인지, 아니면 축복하고 응원해줄 것인지 관한 이야기다. 〈스타워즈〉는 분노와 피해의식에 점령되어버린 청년의 선택이 어떻게 세계를 망쳤는지에 관한 이야기다. 〈스타워즈〉는 민주주의가 얼마나 쉽게 부패할 수 있는지, 그것을 다시 회복하는 데에 얼마나 많은 노력과 희생이 필요한지에 관한 이야기다.

영화를 보지 않은 사람들도 이해하기 편하도록 본편의 줄거리와는 무관하게 프리퀄 중심으로 정리해보았다. 할리우드로부터 온 이 거대한 미국 신화가 애초 어른들의 부정한 세계를 파괴하고 싶어 안달이 났던 청년 조지 루카스의 자전적이고 정치적인 우화라는 걸 알아차릴 수 있을 것이다.

아주 먼 옛날 은하계 저편의 사막 행성에 노예 소년이 살았다. 소년은 영특했고 기계를 잘 다루었다. 소년은 아버지가 없었다. 어머니는 남자 없이 홀로 소년을 잉태했다. 소년은 마음속 깊이 어머니를 사랑했다.

때는 바야흐로 혼란의 시기였다. 공화국의 질서는 몰락하고 있었고 덕분에 지역에 기반을 둔 조직범죄가 기승을 부렸으며 무역을 통해 부를 쌓은 자들을 중심으로 반란의 조짐이 싹텄다. 공화국을 수호하는 신비주의 결사대의 현자가 이를 해결하기 위해 제자와 함께 여행 중이었다. 신비주의 결사대의 이름은 제다이였다.

현자가 우연히 소년을 만난다. 그는 소년의 재능과 가능성

에 매료되었다. 현자는 소년이 우주의 질서에 균형을 가져
다주리라 확신했다. 불행히도 현자는 오래 살지 못했다. 그
러나 현자와 함께 동행했던 제자가 스승을 대신하여 소년을
수습하고 멘토가 되어주었다. 소년은 멘토와 함께 우주의
중심으로 떠났다. 그리고 멘토의 도움으로 신비주의 결사대
의 일원이 되었다.

소년은 무섭게 성장했다. 더 이상 소년이 아니라 청년이었
다. 청년의 능력은 독보적이었다. 청년의 직관과 영적 능력
은 신비주의 결사대의 어느 누구보다 뛰어났다. 공화국은
반란을 일으킨 무역업자 길드와 전쟁 중이었다. 공화국을
수호하는 신비주의 결사대의 일원으로서, 청년은 전장에서
눈부신 활약을 남겼다.

그러나 결사대의 원로들은 청년을 믿지 않았다. 청년이 성
장하면 성장할수록 원로회는 청년을 억눌렀다. 공로를 인정
하지 않고 능력을 상찬해주지도 않았으며 때가 아니라는 말
만 반복할 뿐이었다. 원로들은 사실 청년을 두려워했다. 청

년의 끝을 알 수 없는 재능을 두려워했다. 원로들은 청년의 마음속 깊은 곳에 어두움이 있다고 말했다. 그러나 그 어두움이 청년의 마음속에 원래 있었던 것인지, 아니면 인정하지 않고 찍어 누르고 무시하는 방식으로 일관하다 결국 그들 스스로 청년의 마음속에 심어버린 것인지는 끝내 누구도 알 수 없을 것이다.

그런 청년의 곁에 정치꾼이 나타났다. 정치꾼은 자신의 야망을 실현하기 위해 청년에게 접근했다. 청년을 사로잡기 위해 필요한 게 무엇인지도 알았다. 청년은 원로들로부터 신뢰받지 못했다. 그로 인해 청년의 마음속에는 피해의식이 자라나고 있었다. 정치꾼은 그것을 공략했다. 청년을 끊임없이 칭찬하고 유일무이한 우주적 재능을 알아봐주었다. 그리고 청년의 억울한 마음이 분노로 바뀌도록 부추겼다. 청년은 정치꾼에게서 인정욕구를 채울 수 있었다. 그래서 그와 곧잘 어울리며 그의 말에 귀 기울이게 되었다.

정치꾼에게는 청년에게 털어놓지 않은 야심이 있었다. 애초에 무역업자들을 현혹해 반란의 씨앗을 심은 게 그였다. 정치꾼은 전쟁이 필요했다. 외부의 위협을 조장해 전쟁을 일으키고, 이를 빌미로 의회의 승인을 얻어 훗날 군사독재의 토대가 될 대규모 군대를 양성하며, 자신이 일으킨 전쟁을 자신이 해결한 뒤 의회를 무력화하고 궁극적으로 우주를 장악하고자 했던 것이다. 거대한 계획이었다. 그런 계획을 실행하는 데 유일한 위협 요소는 공화국을 지키는 신비주의 결사대였다. 이 신비주의 결사대를 내부로부터 붕괴시키고자 정치꾼은 청년을 활용했다.

옳고 그름의 경계가 흔들리는 가운데 청년은 선택을 강요받는다. 결사대인가 정치꾼인가. 나를 더 알아주는 쪽은 어디인가. 어느 편에 서야 하는가. 결국 청년은 자신이 속한 결사대를 뒤로하고 정치꾼의 야심에 동참한다.

청년은 형제와 같았던 결사대를 베어버린다. 이제 청년의 곁에는 사랑하는 연인도, 늘 함께했던 멘토도, 청년의 이름 앞에 꼬박꼬박 '어린'을 붙여 부르며 찍어 누르기 바빴던 원로들도 존재하지 않았다. 철저히 홀로 된 청년은 정치꾼에게서 새로운 이름과 기계로 된 몸을 받았다. 청년은 더 이상 타투인에서 온 '어린 아나킨 스카이워커'가 아니었다. 이제 그는 다스 베이더다. 정치꾼은 의회를 해산하고 공화국의 종말과 제국의 탄생을 선언했다. 정치꾼은 황제가 되었다. 청년은 황제의 오른팔이 되었다.

청년은 자신에게 자식이 있다는 사실을 미처 알지 못했다. 쌍둥이였다. 쌍둥이 남매는 각기 다른 가정에 맡겨져 길러지게 되었다.

공교롭게도 쌍둥이 가운데 남자아이는 아버지가 태어나고 자랐던 사막 행성에 자리를 잡았다. 평범한 시골 소년에 불과했던 이 아이가 자기 아버지, 즉 청년의 여정을 고스란히 밟아나가며 제국에 대항하는 저항군의 유력한 영웅으로 성장한다. 어느덧 자신이 증오했던 꼰대들과 다를 게 없이 늙고 뒤틀려버린 청년이 자신의 아들과 만나 대결하기까지는 그 후로 오랜 시간이 더 필요했다. 결국 아들에 의해 쓰러진 청년은 뒤늦게 후회한다. 청년은 검게 그을리고 뒤틀린 가면을 벗는다. 그리고 아들의 품 안에서 숨을 거둔다.

〈스타워즈〉의 앞선 이야기를 프리퀄 3부작 중심으로 재구성한 이유는 이 시리즈의 우화적 성격을 강조하기 위해서다. 〈스타워즈〉는 의외로 진입 장벽이 높은 시리즈다. 마음먹고 에피소드 4편부터 보려고 해도 유치하고 산만하다고 느끼기 일쑤다. 무엇보다 이제는 시리즈가 너무 길어져버렸다. 그러나 이야기가 가지고 있는 다양한 종류의 우화적 결을 찾아낼 수 있다면, 당신이 〈스타워즈〉의 열정적인 팬으로 돌변하는 걸 막을 수 있는 자는 아무도 없을 것이다.

첫 번째로 〈스타워즈〉는 메시아 이야기다. 사막의 소년 아나킨 스카이워커는 동정녀에게서 잉태되었고 제다이 마스터 콰이곤에 의해 '포스에 균형을 가져올' 자로 예언되었다. 그러나 유혹을 이기지 못하고 끝내 타락한다. 대를 이어 루크 스카이워커에 이르러서야 이 예언은 실현된다.

두 번째로 〈스타워즈〉는 세대 갈등에 관한 자전적 이야기다. 아버지를 증오했던 조지 루카스는 할리우드에 와서도 자신을 천둥벌거숭이 취급하는 구세대와 끊임없이 대립했다. 조용하고 소심한 성격인 그는 싸우기보다 홀로되기를 택했다. 그는 전통적인 스튜디오 권력을 경멸했으며 자신이 선택할 수 있는 모든 관계 안에서 아버지를 대신할 수 있는 누군가를 갈구했다.

프랜시스 포드 코폴라와 창작 집단 조트로프를 결성하면서 루카스는 잠시나마 안정을 찾았다. 그에게 코폴라는 형이나 동료이기 이전에 아버지와 같은 존재였다. 그러나 코폴라가 스튜디오와 루카스 사이를 조율하고 제어하는 과정에서 오해와 갈등이 쌓였다. 조트로프는 깨졌고 루카스는 다시 홀로 남았다. 코폴라가 〈대부〉를 만드는 동안 루카스는 우주 서사시를 썼다. 〈스타워즈〉는 그때 탄생했다. 루카스는 스카이워커였고 오비완은 코폴라였으며 어둠의 군주와 다스 베이더로 대변되는 악의 제국은 스튜디오 시스템이었다.

이와 같은 자전적 성격은 프리퀄에 이르러 더욱 강력해진
다. 오리지널 시리즈에서 루크 스카이워커에 스스로를 투영
했던 루카스는 프리퀄에서 아나킨 스카이워커로 옮겨간다.
재능 있는 젊은이가 꼰대들에게 무시당하고 억눌리면서 그
에 대한 불만과 증오를 발판 삼아 악의 화신으로 각성하는
과정은, 한때 전통적인 스튜디오 권력에 싸워 끝내 이겼으
나 그 중심으로 걸어 들어가 결국 할리우드 시스템을 제국
과 다름없는 규모로 키워내는 데 중심적인 역할을 한 자기
고백에 가깝다. 더불어 혁명 세대를 대변하는 한숨 섞인 변
명이기도 하다. 내가 바랐던 건 이런 게 아니었단다 얘들아.

세 번째로 〈스타워즈〉는 민주주의와 독재에 관한 이야기다.
앞서 정치꾼으로 묘사한 다스 시디어스가 공화국 권력을 장
악하고 의회를 해산하여 제국을 만들기까지 과정은 로마 공
화정이 무너지는 모습이나 나치 독일의 탄생, 혹은 한국의
독재 정권에 이르기까지 셀 수 없이 반복되었던 역사적 귀
결이다. 외부의 적을 만들고, 내부 갈등을 키우고, 보다 효율
적으로 싸우기 위해서라는 명목으로 의회 시스템을 무력화

하고, 마침내 권력을 장악한다. 민주주의가 무너지는 건 순식간이다. 간단한 모략으로 인해 공화국은 제국이 된다. 제국이 다시 공화국 시스템으로 회복하기까지 엄청나게 많은 희생이 뒤따른다.

마지막으로 〈스타워즈〉는 이야기를 지켜보는 모든 이들의 삶에 평화와 균형이 함께하기를 기도한다. 제다이가 말하는 포스의 정수란 다름 아닌 균형이다. 이는 기계적 무게중심을 이야기하는 것이 아니다.

아나킨 스카이워커를 다스 베이더로 타락하게 만든 건 다스 시디어스의 모략이었다. 하지만 애초 그 모략이 가능했던 건 요다를 비롯한 제다이 원로회가 아나킨을 믿지 않았기 때문이다. 그를 믿지 않고 폄훼하고 평가절하했던 원로회의 오판이 아나킨의 마음속에 피해의식을 심었다. 그리고 이 피해의식이 아나킨으로부터 정상적인 판단 능력을 빼앗았다.

제다이 원로회가 아나킨을 믿지 않는 모습은 새롭지 않다. 이제 막 세상에 나온 청년들이 늘 겪는 바와 같다. 매우 운이 좋은 소수를 제외하면 여러분은 노력한 만큼 인정받지 못할 것이고 가치를 부정당할 것이다. 억울할 것이다. 내 가치를 누군가 알아봐주길 갈망할 것이다. 나를 제외한 다른 사람들은 모두 가치를 인정받는 것처럼 보인다. 행복해 보인다. 적어도 SNS에서는 그렇게 보인다. 절망이 커져간다. 하지만 절망에 먹혀서는 안 된다. 절망이 여러분을 휘두르게 내버려둬서는 안 된다. 피해의식에 점령당해 객관성을 잃는 순간 괴물이 되는 건 시간문제다.

평가에 잠식되어서는 안 된다. 평가와 스스로를 분리시켜야 한다. 마음에 평정심을 회복하고 객관성을 유지하자. 그것이 포스가 말하는 균형이다. 언젠가 반드시 여러분의 노력을 알아보고 고맙다고 말할 사람이 나타날 것이다. 끊임없이 가다듬고 정진하고 버틴다면 반드시 그날이 온다.

메시아를 기다리라는 게 아니다. 누구도 우리에게 평가를 빚지지 않았다. 평가와 스스로를 분리시키라는 말은 곧 채권자와 같은 마음으로 살아가지 말라는 이야기와 같다. "그러므로 간절히 바라오니". 피해의식과 결별하고 타인과 더불어 살아가기로 결심하라는 것. 무엇보다 등 떠밀려 아무런 선택권이 없었다는 듯이 살아가는 게 아닌 자기 의지에 따라 살기로 결정하고 당장 지금 이 순간부터 자신의 시간을 살아내라는 것. 오직 그것만이 우리 삶에 균형과 평온을 가져올 것이다. 내게 시간이 얼마 남지 않았다고 생각하고 이 책을 쓰기 시작했다. 내가 여러분에게 하고 싶은 말을, 내가 듣지 못했던 말을 모두 털어냈다. 나는 앞으로도 시간이 얼마 남지 않았다는 마음으로 살아갈 생각이다. 포스가 여러분과 함께하기를 바라며.

살아라.

허지웅 에세이

살고 싶다는 농담

초판 1쇄 발행 2020년 8월 17일
초판 9쇄 발행 2023년 3월 27일

지은이 허지웅

발행인 이재진 **단행본사업본부장** 신동해
편집장 조한나 **책임편집** 김동화 **디자인** [★]規
본문서체 마포금빛나루 **마케팅** 최혜진 최지은
홍보 반여진 허지호 정지연 **제작** 정석훈

브랜드 웅진지식하우스
주소 경기도 파주시 회동길 20
문의전화 031-956-7355 (편집) 031-956-7127 (마케팅)
홈페이지 www.wjbooks.co.kr
인스타그램 www.instagram.com/woongjin_readers
페이스북 https://www.facebook.com/woongjinreaders
블로그 blog.naver.com/wj_booking

발행처 ㈜웅진씽크빅
출판신고 1980년 3월 29일 제406-2007-000046호

© 허지웅, 2020
ISBN 978-89-01-24460-0 03810